加藤 哲郎 編集・解説／編集復刻版

ゾルゲ事件史料集成

第4巻

太田耐造関係文書●「ゾルゲ事件」史料2

不二出版

凡例

一、『ゾルゲ事件史料集成　太田耐造関係文書』は、太田耐造（一九〇三－五六）が保管し、国立国会図書館憲政資料室に寄贈された「太田耐造関係文書」のうち、ゾルゲ事件に関係する史料を編集し、全4回配本・全10巻として復刻、刊行するものである。

一、本集成は、ゾルゲ事件に直接関係する史料を「ゾルゲ事件」史料1・2、間接的ではあるが重要と判断された史料を「ゾルゲ事件」周辺史料として新たに分類・収録した。

全体の構成は次の通り。

第1回配本……「ゾルゲ事件」史料1（第1・2巻）／第2回配本……「ゾルゲ事件」史料2（第3～5巻）
第3回配本……「ゾルゲ事件」史料2（第6～8巻）／第4回配本……「ゾルゲ事件」周辺史料（第9・10巻）

一、史料は憲政資料室「太田耐造関係文書」記載の請求記号に依拠し、収録した。史料詳細は第1巻「収録史料一覧」に記載した。

一、原史料を忠実に復刻することに努め、紙幅の関係上、適宜拡大・縮小した。印刷不鮮明な箇所、伏字、書込み、原紙欠け等は原則としてそのままとした。欄外記載、付箋等がある場合、重複して収録した箇所もある。

一、編者・加藤哲郎による、ゾルゲ事件研究における本史料の意義と役割に関する解説を第1巻に収録した。

一、今日の視点から人権上、不適切な表現がある場合も、歴史的史料としての性格上、底本通りとした。

一、本集成刊行にあたっては、国立国会図書館憲政資料室にご協力いただきました。記して感謝申し上げます。

目次

ゾルゲ事件史料集成　太田耐造関係文書　第4巻

検事訊問調書（三月十六日附）

被疑者　西園寺公一

問　氏名、年齢、職業、住居、本籍及出生地ハ如何

答　氏名ハ西園寺公一
年齢ハ當三十七年
職業ハ元内閣囑託兼外務省囑託
住居ハ東京市澁谷區千駄ケ谷二丁目三百八十五番地西園寺八郎方
本籍ハ東京市神田區駿河臺三丁目五番地
出生地ハ澁谷區内日本赤十字病院産院

問　被疑者ハ外務省囑託内閣囑託ニナツテ居タ事ハナカツタカ

答

アリマス

外務省嘱託ハ二回、内閣嘱託ハ一回テアリマス

外務省嘱託ハ昭和九年ヨリ約二ケ年ニ亘リ勤メ條約局第三課ニ勤務シテ委任統治關係事務ヲ擔當シ第二回目ハ昭和十五年九月頃ヨリ十月十六日迄松岡外相ノ秘書ト云フ事テ嘱託ノ辭令ヲ交付サレマシタカ殆ト外務省ノ仕事ハ致シテ居リマセヌ　只昨年三月ヨリ四月迄ノ間歐洲出張ヲ命セラレテ松岡外務大臣ノ訪歐ニ隨行シタノカ外務省ノ仕事ノ唯一ノモノテアリマス

内閣嘱託ハ昨年八月中旬辭令ノ交付ヲ受ケ爾來第三次近衞内閣總辭職迄ノ間外交事務特ニ日米交渉ニ關スル陸、海、二省ト内閣トノ連絡事務ニ關與シテ參リマシタ

問

被疑者ハ内閣囑託外務省囑託當時ノ最近數年間ニ於テ東京市内等ニ於テ尾崎秀實等ニ對シ軍事上ノ秘密、國家ノ秘密等ヲ告知シテ之ヲ漏泄シタ嫌疑テ取調ヲ爲スカ何カ云フ事ハナイカ

答

尾崎秀實トハ昭和十一年夏米國加洲ヨセミテデ開催サレタ太平洋問題調査會第六回大會ニ日本代表團ノ書記トシテ出席ノ途次同代表ノ一人テアル尾崎ト船室ヲ同シクシタ關係テ知合トナリ爾來同人ト親シク交際シテ來マシタ

私ハ尾崎ニ對シテハ軍事上ノ秘密ヤ國家ノ秘密ヲ漏シタ事ハ全クアリマセヌ

検事訊問調書（三月二十八日附）

被疑者　西園寺公一

一、問　位階及家族關係ハ

答　位階ハ従五位テアリマス

家族關係ハ戸籍上ハ

父　八郎　當六十二年

妹　愛子　當三十五年

及ビ私

ノ三人丈ケテアリマス　父八郎ハ長州藩主毛利元徳ノ八男

トシテ生レ私ノ母新子ノ婿養子トナツテ西園寺家ニ入籍シ

昭和十六年一月襲爵シ西園寺公爵家ノ當主トナツテ居リ目

下逗子櫻山柳作ノ別莊ニ居住シテ居リマス

妹愛子ハ聖心女學院ヲ卒業シ目下父ノ許ニ在ツテ父ノ身廻リノ世話ヲシテ居リマス

其ノ外分家シタ弟二人他家ニ嫁イタ妹二人アリマス

弟二郎（當三十六年）ハ水戸高等學校ヲ經テ東大經濟學部ヲ卒業シ鎌倉市長谷一三一三番地ニ一戸ヲ構ヘ企畫院ノ囑託トシテ同院總務室ニ通勤シテ居リマス

弟不二男（當三十二年）ハ水戸高等學校ヲ經テ東大經濟學部ヲ卒業シ日本銀行ニ勤務シテ居リマシタカ昭和十四年九月一日應召シ目下千駄ケ谷ノ私宅ヨリ陸軍航空本廠ニ通勤シテ居リマス階級ハ陸軍主計中尉テアリマス

妹春子（當三十年）ハ住友吉左衛門ニ嫁シ妹美代子（當二十七年）ハ阿部一藏ニ嫁シテ居リマス

私ノ母新子ハ祖父公望ノ長女テ父八郎ヲ婿養子ニ迎ヘ私以

下六人ノ子供ヲ儲ケマシタカ大正九年一月十日死亡致シマシタ

尚私ハ昨年四月以來松崎雪江ト内縁關係ヲ結ヒ京橋區明石町三四番地ニ別宅ヲ構ヘ同棲シテ居リマス

尚西園寺家ハ藤原鎌足ノ流レヲ汲ンテ居リマス

鎌足ヨリ五攝家ト十六清華家カ出テ居リマスカ西園寺家ハ此ノ十六清華家ノ一ツニ屬スル家テ西園寺ナル姓ハ皇室ヨリ賜ツタモノト聞イテ居リマス　父八郎ハ西園寺家ノ初代ヨリ數ヘテ三十四代目ニ當ツテ居リマス

二、問　學歴ハ

答　私ハ學習院初等科ヲ卒業後東京高等師範學校附屬中學校ニ入學シ大正十三年三月同校ヲ卒業シ次イテ同年四月英國ニ赴キボーンマス市所在ノ豫備校ニ類スルスターリング・ハ

ウスニ學ンダ後昭和二年（一九二七年）十月オツクスフオードド大學ニ入學シ政治經濟ヲ專攻シテ昭和五年八月同校ヲ卒業シ獨佛ヲ視察シテ昭和六年五月歸朝致シマシタ

三、問　歸朝後ノ動靜ハ

答　昭和五年歸朝後東京帝國大學ノ大學院ニ籍ヲ置キ矢部貞治教授ノ指導下ニ二年間ニ亘リ政治學ヲ研究シマシタ其ノ間約半歲ニ亘リ高野山ニ籠リ勉強シタコトモアリマス

昭和八年始頃ニハ靜岡縣榛原郡川崎町ニ於テ榛原中學校長小田原勇氏等ト共ニ培本塾ヲ開キ地方青少年ノ指導教養ニ當リマシタ　此ノ培本塾ハ現在モ引續イテ開カレテ居リマス

私ハ昭和十一年麴町區飯田町一丁目七番地ニ事務所ヲ設ケテ月二回發行ノ雜誌「グラフイツク」ノ經營ヲシテ來マシ

タカ同雜誌ハ昭和十五年末頃廢刊致シマシタ

其ノ外昭和十四年初頃同事務所ニ日本國際問題調査會ヲ起シ「世界年鑑」ノ發行ヲ爲シ今日ニ至ツテ居リマス

右申述ヘタ外前回ニ述ヘタ通リ昭和九年十一月一日外務省ノ囑託トナリ條約局第三課ニ勤務シテ委任統治關係ノ調査事務ヲ擔當シテ居リマシタカ感ズル處カアリ昭和十一年十一月十七日囑託ヲ辭シマシタ

其ノ後松岡洋右氏カ外相トナルニ及ヒ同氏ノ推薦ニ依リ昭和十五年八月三十一日外務大臣秘書官付ノ囑託トナリ次イテ同年十一月二十八日東亞局第一課付ヲ命セラレ更ニ昭和十六年三月十二日歐洲各國ニ出張ヲ命セラレテ松岡外相ノ訪歐ニ隨行シマシタカ同年十一月五日依願解囑トナリマシタ

但シ外務省ノ囑託ニナツタノハ私ノ希望ニ依リ實現シ

タノテハナク松岡外相カ豫メ私ニハ相談スルコトモナク囑託ノ辭令ヲ出シ事後ニ囑託トナツタコトヲ告ケラレテ始メテ其ノ事實ヲ知ツタ次第テ秘書官室ニ席ハ設ケラレマシタモノノ之ト云フ仕事モナク勝手勤メト云フ事テ時々顔ヲ出ス位ノモノテシタ
東亞局第一課付ヲ命セラレタノモ余リニ仕事カナイノテ其ノ由ヲ松岡外相ニ申出タ處外相ハ君ハ支那問題ニ興味ヲ持ツテヰルカラ東亞局カ宜カラウト云ツテ第一課長室ニ席ヲ設ケテ呉レタモノテスカ其處テモ現實ニハ仕事ヲ與ヘラレマセンテシタ內閣囑託ハ事實上ハ昭和十六年八月十四日附ノ辭令ノ交付ヲ受ケル十日程前ニ話カアリ直ニ諒解シ其ノ翌日カラ內閣總理大臣官舍（總理官邸）ニ出勤シテ日米交渉ニ關スル事務ニ携ツテ居リマシタ　辭令面ハ「內閣調査

事務ヲ囑託ス」トナツテ居リマス　内閣囑託ニナタ經緯ハ八月上旬牛場秘書官ニ呼ハレテ總理官邸ニ行ツタ處同秘書官ヨリ日米交渉ニ關シ私ニ内閣ト陸海軍トノ間ノ連絡事務ヤ九ケ國條約等ノ研究ヲヤツテ貰ヒタイ今度ノ外交ハ型破リテ本來ナラ外務省テヤルベキダガ此ノ問題ニ就テハ近衞總理カ乘出シ自身カ中心トナツテヤルノテ内閣テハ入手カナク困ツテ居ルカラ囑託ニナツテ手傳ツテ貰ヒタイトノ事テシタ　私カラ仕事ノ内容ヲ訊ネマスト牛場秘書官ハ書記官長ニ會ツテ聞イテ呉レト言ヒマスノテ富田書記官長ニ會フト同書記官長ハ六カシク考ヘル必要ハナイノテ毎週水曜日ニ官邸テ關係者カ集ツテ晝食ヲ喰ヘルコトニナツテ居ルカラ之ニ出席シテ貰ヒタイ其ノ内ニヤツテ貰フ仕事モ出來テ來ルカラトノ事テシタカラ卽座ニ囑託トナルコトヲ承諾

シ翌日ニハ官邸ノ一室ニ私ノ席ヲ設ケテ呉レマシタノテ其ノ日ヨリ毎日出席シテ日米關係ノ各種ノ條約ヤ米國ノハル國務長官ノ聲明其ノ他ヲ研究シ又毎週水曜日官邸テ開カレル陸海軍ノ連絡員トノ午餐會ニ出席シテ居タノテアリマス

此ノ囑託モ十月十六日第三次近衞內閣總辭職ノ日ニ辭表ヲ提出シ十月二十八日依願解囑トナツタノテアリマス

尚私ハ昭和十一年七月米國加州ヨセミテニ於テ開催サレタ太平洋問題調査會第六回太會ニ日本代表團ノ書記トシテ出席シタ外昭和十二年秋頃ヨリ約一年間ニ亘リ日本國際協會太平洋問題調査部幹事ヲシタコトカアリマス

四、問　住居ノ移動並ニ海外旅行等ニ付キ述ベヨ

答　私ノ本邸ハ以前ハ駿河臺三丁目五番地ニアリマシタカ中央大學ニ記念館トシテ保存セシメル爲メ讓渡シテ昭和十五年

七月末小石川區丸山町三四番地ニ一時轉居シ次イテ昭和十六年十二月八日澁谷區千駄ケ谷二丁目三八五番地ノ本邸ニ轉居シテ現在ニ至ツテ居リマス　尙昭和十六年十月上旬京橋區明石町三四番地ニ別宅ヲ構ヘタ事ハ曩ニ述ヘタ通リテアリマス
海外旅行トシテハ曩ニ述ヘタ英國留學及太平洋問題調査會出席ノ爲メ昭和十一年七月ヨリ二ケ月ニ亘リ米國ニ旅行シタ以外ニハ支那方面ニ四回歐洲ニ一回旅行シテ居リマス
卽チ昭和十二年八月同盟通信社長岩永裕吉氏ノ勸メニヨリ上海方面ニ一週間程旅行シ其ノ間宋子文、高宗武、除眞六等ト會ヒ日支衝突事件ニ關スル支那側要人ノ考方ヲ打診シテ歸リ次ニ昭和十四年夏ニハ參謀本部第八課長臼井茂樹大佐ノ命ニ依リ南京政府ニ參加スル可能性アル人物ノ空氣ヲ見ル爲メ上海南京ニ赴キ更ニ香港漢口等ヲ視察

シテ約三週間後歸國シマシタカ此ノ時ノ南京香港上海ノ旅行ニハ尾崎秀實ト行動ヲ共ニシマシタ

同年十二月ニモ同樣臼井大佐ノ命ニ依リ犬養ト南京政府ノ問題ニ付キ連絡スル爲上海ニ赴キ一週間位滯在シ所用ヲ果シテ歸リ更ニ昭和十五年三月ニハ南京還都後ニ於ケル南京政府強化策ノ資料ヲ得ル目的テ南京上海ニ旅行シ約十日間ニ亘リ調査ヲ爲シ尚同盟通信社編輯局長松本重治ト共ニ香港及マニラヲモ視察シテ歸リマシタ　其ノ後昨年三月十二日松岡外相ニ隨行シテソ聯、獨、伊ヲ歷訪シ同年四月二十三日歸朝シマシタ

五、問　生立及ヒ思想推移ノ過程ハ

答　此ノ點ニ付テハ別ニ手記ヲ認メテ提出シマスカラ大レヲ御覽願ヒマス

六、問　松岡洋右トノ關係ハ

答　私ハ自分ノ子供ノ頃松岡洋右氏カ私ノ父ノ許ニ出入シテ居タ關係テ早クヨリ知ツテ居リマシタ

昭和十三年頃テアリマスカ當時ノ滿鐵總裁ノ地位ニアツタ松岡氏カラ今後ハ支那問題カ重要テアルカラ勉強スルヤウ注意サレ同氏カ上京シタ折ニハ訪問シテ支那問題ニ關スル意見ヲ伺ツタリシマシタ　又嚢ニ述ヘタ日本國際問題調査會ノ開設ニ當ツテハ同氏ニ依賴シ滿鐵ヨリ五千圓ノ寄附ヲ受ケタ事モアリマシタ

私カ政治的ナ問題テ松岡氏ト接觸スルヨウニナツタノハ汪兆銘工作カ本格的ニナリ始メタ

昭和十四年初頃ノコトテ其ノ頃松岡氏ニ會ヒ如何ナリト御手傳スルト云ツタ處松岡氏ヨリ汪兆銘工作ハ元來自分カ始メ

タモノテ是非吾々ト一諸ニナツテ手傳ツテ呉レト言ハレ其ノ後汪兆銘ノ來朝シタ同年六月頃ニハ數回松岡氏ヲ自宅ニ訪問シテ汪工作ニ付テノ意見ヲ聽イタリシマシタ　松岡氏ノ外相就任後私ハ同氏ノ推薦ニ依リ外務省囑託ニナツタコトハ既ニ申述ヘタ通リテスカ松岡外相カ私ヲ囑託ニシタ理由ハ其ノ當時秘ニ來朝シ日獨軍事同盟締結ニ畫策シテ居タ獨逸ノスターマー公使トノ交渉ニ私ヲ出席セシメテ私ニ斯ル方面ニ經驗ヲ持タシメヨウトノ意圖ニ基イタモノテスカ當時私ハ輕井澤ニ於テ病氣靜養中テアツタ爲メ呼出ノ電話カアリマシタカ之ニ應スルコトカ出來ス同年九月中頃歸京シテ始メテ外相ヨリ私ヲ囑託ニシタコト並ニ其ノ意圖ヲ聞カサレテ右ノ事情ヲ知ツタ次第テアリマス

外務省囑託時代ノ仕事ニ關シテハ既ニ述ヘタ通リテアリマ

スカ昭和十五年十月頃外務省ノ人事大刷新ノ行ハレタ當時松岡外相ヨリ泰ノ公使ニナラヌカトノ交渉ヲ受ケマシタカ私ハ左樣ナ大任ハ勤マラヌト考ヘテ之ヲ斷リ又其ノ後濠洲ニ公使館カ出來ル際ニモ松岡外相近衞首相双方ヨリ濠洲ノ公使ニ出ルヨウ慫慂サレマシタカ之亦任ニ過キルト考ヘテ斷リマシタ

其ノ後昭和十六年二月末頃外相ヨリ訪歐ニ隨行セヨトノ話カアリ之ヲ承諾シテ其ノ一行ニ加ハリソ聯獨伊ノ三國ヲ歷訪シマシタ　訪歐ノ一行ハ

外務大臣　松岡洋右
陸軍大佐　永井某
海軍中佐　藤井茂
歐亞局長　坂本瑞男

外務大臣秘書官　加瀬俊一
同　長谷川進一
會計係　船越某
電信係　草野某
同盟編輯次長　岡村二一
元滿鐵理事　中西敏憲
代議士　窪井義道
私
外二名

テアリマシタ

私ハモスコー及ローマ以外ハ總テ外相ト行動ヲ共ニシマシタカ外相ト獨伊ソ聯ノ首腦部トノ會見ノ席ニハ出席セズ又會談ノ内容ニ關シテハ坂本局長、加瀬秘書官以外ニハ全ク關與セシメナカツタノテ隨行シタト云フモノノ訪歐中ノ重要會談ノ内容ハ殆ト之ヲ知ルコトカ出來マセンテシタ松岡氏トハ歸朝後二、三回會ツテハ居リマスカ第二次近衞内閣總辭職後ハ健康ヲ害サレ專ラ靜養シテ居リマスノテ政治的ナ問題テ同氏ト會ツタコトハアリマセン　松岡氏トシテハ私ノ將來ニ對シ期待ヲ懸ケラレ其ノ爲メ訓練サレル考カラ面倒ヲ見テ呉レタモノト察セラレマス

七、

問　近衞公トノ關係ハ

答　私的關係ハ別トシテ私カ近衞公ト政治的ナコトテ會ツタ最初ハ公カ貴族院議長ヲシテ居タ頃輕井澤ニ訪ネテ貴族院改革論ヲ持出シタ時テアリマス其ノ後ハ何ト云フコトナシニ近衞公ノ許ニ出入シテ居リマシタカ昭和十二年第一次近衞内閣成立シ同年七月蘆溝橋事件勃發スルヤ私ハ岩永同盟社

長ノ勸メニヨリ上海ニ宋子文等支那側要人ノ意向ヲ打診ニ出掛ケル前近衞公ニモ相談シ又歸朝後情勢ハ變化シテハ居リマシタカ上海ノ情勢ヲ報告シマシタ其ノ後汪兆銘工作カ近衞内閣ニ依ツテ採上ケラレルヤウニナツテカラハ屢々公ニ會ツテ意見ヲ具申シ昭和十三年十二月二十二日ノ「更生新支那トノ國交調整ニ關スル根本方針」ノ聲明ニハ私ハ牛場秘書官、松本重治、尾崎秀實等ト共ニ公ヨリ聲明案ノ起案ヲ命セラレ牛場秘書官ノ官邸ニ於テ四人テ案ヲ練リ之ヲ近衞首相ニ提出シマシタカ採用サレス中山優氏ノ執筆シタ案ニ公自身筆ヲ入レラレテ聲明文カ出來上リ之カ正式ナモノトシテ發表ニナリマシタ

昭和十四年一月第一次近衞内閣總辭職トナリ次イテ近衞公ハ樞密院議長トナリマシタカ私ハ樞密院議長當時ニモ二、

三回會ツテ支那問題ニ付キ話合ツテ居リマス
昭和十五年六月二十四日近衛公ハ輕井澤ニ於テ新体制ニ關スル談話ノ發表ヲ行ヒマシタノデ私ハ早速輕井澤ニ赴キ近衛公ニ會ヒ新体制ヲ作リ上ケルニハ青年層ニ呼掛ケ青年層ヲシテ古イ殻ヲ脱シテ大同團結セシメ之ヲ手足トシテ使フベキテアル旨進言シ公ノ贊同ヲ得テ歸リ此ノ方面ノ人々ヲ招致シ青年層ノ糾合ニ努力シマシタカ思フニ委セズ其ノ間新体制ハ私ノ意圖ニ反シ政黨解消ノ方向ニ進ミ上層部ノコトトナリ私ツテ了ヒマシタノテ興味ヲ失ヒ其ノ後暫クノ間ハ公衛公トノ關係モ不即不離ノ狀態ヲ續ケテ居リマシタ
更ニ近衛公トノ政治的關係カ密接トナツタノハ昨年八月内閣囑託トナツテカラノ事テスカ其ノ點ニ關シテハ後ニ申上ケルコトニ致シマス

世間テ私ヲ近衛公ノ側近ノ一人ト見テ居ルコトハ自分テモ承知シテ居リマス私ハ屢々人カラ近衛側近ノコトヲ尋ネラレテヰマスカ私ハ其ノ時ニ必ス近衛公ニハ側近者カアルト云ヘハ言ヘルシ又ナイトモ言ヘルト答ヘテ居リマス　其ノ譯ハ近衛公ハ積極的ニ近付イテ來ル者ハ意ノ儘ニ近付ケマスカ同時ニ此ノ人達ノ中ニ本當ノ手足トシテ使ツテ行カウトサレル人ハ殆トナイヤウテアリ從ツテ公ニ近付イテ行ク者ヲ側近者ト云フナラハ極メテ廣範圍ノ人達カ之ニ包含セラレマスシ若シ又狹ク解釋スレハ側近ハ全クナイトモ云ヘルト思ハレルカラテアリマス　私達ノ所謂朝飯會ノメンバー中ニ近衛公ノ側近者ヲ強イテ求メレハ牛場友彦位カ之ニ該當スルト思ヒマス　尤モ朝飯會ノ他ノ連中カラハ私及松本重治モ同様側近ニ數ヘラレテヰタヤウテスカ私ノ場合ニ

於テハ寧ロ近衞公カ私ヲ育テ上ケヤウトスル氣持カ大イニ動イテ居タモノト察セラレルノテアリマシテ此ノ點ハ松岡洋右氏ニ對スル場合ト同樣テアリマス

八、問　所謂朝飯會ニ付キ述ヘヨ

答　第一次近衞内閣ノ成立後昭和十二年秋頃

内閣總理大臣秘書官　牛場友彦

同　岸道三

ヲ中心トシテ

松本重治

蠟山政道

佐々弘雄

笠　信太郎
渡邊佐平
平　貞藏
尾崎秀實
私

等カ集リ政治上ノ意見ヲ開陳シ兩秘書官ヲ通シ之ヲ具申シテ近衞内閣ヲ支援シテ行クコトニナリ屢々會合シテ意見ヲ陳ヘテ來マシタ此ノ席ニハ時ニ内閣書記官長風見章氏モ出席シテ居リマシタ　昭和十三年夏尾崎秀實カ内閣囑託トナツテカラハ月二回位朝飯ヲ共ニシ乍ラ話合フコトニナリ更ニ昭和十四年以降ハ定期的ニ毎週水曜日ノ朝集ルコトニナリマシタ　左樣ナ譯テ此ノ會合ヲ朝飯會或ハ水曜會ト稱シテ居リマシタ　會合ノ場所ハ第一次近衞内閣時代ハ秘書官

官舍第一次近衛內閣總辭職後ノ數回ハ万平ホテル、昭和十四年春頃以降昭和十五年七月頃迄ハ駿河臺ノ私宅、其ノ後ハ總理官邸日本間テアリマス　昨年七月中頃カラハ定期的テハナクナリ暫ク杜絶エテ居タコトモアリマシタカ第三次近衛內閣總辭職迄ノ間三、四回ハ開カレテ居リマス

尙此ノ會合ニハ

犬養　健

三郎コト松方義三郎

モ時々出席シテ居マシタ

此ノ會合ノ趣旨ハ各人ヨリ建設的ナ意見ヲ述ヘ兩秘書官ヲ通シテ近衛公ノ政策ニ反映セシメテ行クコトニ在ツタノテスカ何時トハナシニ建設的意見ノ開陳ハ乏シクナツテ行キ遂ニハ情報ノ交換ヤ政策ノ無責任ナ批判ニ墮シ最初考ヘタ

ヤウナ意義ハナクナツテ來マシタカラ私ハ一度牛場秘書官ニ其ノ無意味ヲ指摘シ廢メタガ宜イト言ツタコトモアリマシタカ同秘書官ハ何カノ意味モアラウトテ解散ニハ賛成セス其ノ儘繼續イテ來タノデアリマス

此ノ會合ニ於ケル昨年中ノ話題ノ主ナルモノハ

大政翼賛會問題

獨ソ戰及之ニ對スル日本ノ政策日米交渉

等テアリマシタ

九、問　尾崎秀實トノ關係ハ

答　私ト尾崎秀實トノ關係ハ昭和十一年牛場友彦ノ勸誘ニ依リ米國加洲ヨセミテニ於テ開催サレタ太平洋問題調査會第六回大會ニ日本代表團ノ書記トシテ出席スルコトニ決ツタ時牛場ヨリ代表團ノ一人テアツタ尾崎ヲ紹介サレタノニ始ツ

テ居リマス、私ハ同大會ニ出席ノ途次大洋丸テ尾崎ト船室ヲ同シクシヨセミテニ於ケル會議中モ毎日顔ヲ會ハセ又歸途ノ靖國丸テモ船室ヲ同シクシ其ノ間同人ヨリ支那問題等ニ付テ卓見ヲ聽カサレ大イニ敬服シ此ノ旅行ヲ契機トシテ極メテ親密トナリ歸國後モ時キ食事ヲ共ニシ相互ニ自宅ヲ訪問シ又私ノ經營シテ居タ雜誌「グラフイツク」ニモ數回執筆シテ貰ツタリシマシタ

私ハ豫テヨリ協力者トシテ有能ナ人物ヲ求メテ居マシタカ尾崎ハ人柄モ良ク才能モ優レテヰルノテ斯樣ナ人ト近付キニナツタコトヲ秘ニ喜ビ將來ハ自分ノ良キ協力者トナリ得ル人ト考ヘテ來マシタ

其ノ後第一次近衞内閣カ成立シタノテ私ハ近衞公トノ關係モアリ及ハス乍ラ氣付イタ意見ヲ具申シテ近衞内閣ニ建設

的ニ協力シヨウト考ヘ牛場尾崎松本等ト意見ヲ交換スルコトニヨリ自分ノ考ヲ纏メル助ケトシ又同人等ヲシテ積極的ニ近衞内閣ニ協力セシメヨウト努メ從テ尾崎ト會フ機會モ一層頻繁トナリマシタ

然ル處昭和十三年夏頃尾崎ヨリ「外務省ノ囑託トナツテ北支ニ行ケトノ話カアツタ處ヘ更ニ内閣囑託ニナラヌカトノ勸誘ヲ受ケテヰルカドウスヘキカ」ト相談ヲ受ケマシタノテ私ハ「君ハ支那ノ事ニハ一應通シテ居ル上ニ日支問題ノ中心ハ今後ハ北支テハナク中支テアル　ソレニ近衞首相ニハ取巻キカ多イカ實ハ本當ノ手足トナル者ハナイノテアルカラ此ノ際支那行ハ思止ツテ内閣ヲ積極的ニ援ケル仕事ヲスル方カ國家ノ爲メニナル」ト内閣囑託ニナルコトヲ勸メマシタ尾崎モヨク考ヘテ見ルトノ事テ別レマシタカ其ノ後

内閣囑託ヲ受諾シタトノ事ヲ聞キ私ハ大イニ喜ンタノテアリマス其ノ後牛場岸兩秘書官カ近衞公ニ建設的意見ヲ具申シテ近衞公ニ積極的ニ協力スル人達ノ集リヲ持ツトノ事ヲ聞キマシタカ現實ニ出來テ見ルト私ト尾崎モ其ノ内ニ加ヘラレテ居リ此ノ關係カラ尾崎トノ關係ハ從來ノ私的ナモノカラ公的ナモノニ擴大シ更ニ密接ノ度ヲ加ヘテ行キマシタ

近衞内閣成立直後蘆溝橋事件カ起リソレカ支那事變ヘト發展スルニツレ日支問題ヲ如何ニ處理スヘキカガ私達ニ與ヘラレタ大キナ課題トナツテ來マシタ　支那問題ハ尾崎ノ殊ニ得意トシタ處テ從テ之レニ付テ同人ヨリ教ヘラレル處極メテ多ク自分ノ考ヲ纏メルニ付キ尾崎ノ意見ハ大イニ參考トナリマシタ　其ノ間事變ノ擴大ヲ如何ニシテ防止スヘキカ又擴大後ニ於テモ事變ヲ全面的根本的ニ解決スル時期及

其ノ方策等ニ就テモ話合ヒ殊ニ汪兆銘問題ニ關シテハ大イニ意見ノ交換ヲ行ヒマシタ　其ノ後歐洲情勢カ急迫ヲ告ケ日本モ世界ノ新秩序ヲ眞劍ニ考ヘネハナラヌ情勢トナリ支那事變ノ解決ト共ニ此ノ問題ハ日本ノ世界政策ニ新ニ大キク登場シテ來マシタカ此レニ關シテモ私ハ尾崎ト屢々論議シマシタ

私ハ情勢カ經過スル毎ニ何トカシテ建設的ナ意見ヲ纏メタイ氣持カラ尾崎ノ才能ニ尠カラス求ムル處カアリ私自身敎ヲ請フト共ニ同人ヲシテ風見氏ノ路線ヲ通シテ或ハ直接ニ近衛公ニ積極的ニ協力セシムルヤウ仕向ケテ來マシタ

要スルニ私ハ尾崎ナル者ハ情誼ニ厚ク私慾ニ薄ク非常ニ信賴出來ル底ノ人物テアリ其ノ知識才能ニ於テハ單ニ支那問題ノミナラス國際政治ノ問題ニ關シテモ亦政治一般ニ就テ

モ勉強モスルシ優レタモノヲ持ツテヰル稀ニ見ル人物トシテ信頼シ且尊敬シテ來タノテアリマシテ尾崎トノ交際接觸カラ私ノ啓發サレタ處ハ極メテ多ク又現在ノ國家ノ最重大期ニ直ニ國家ノ爲ニ建設的役割ヲ爲スヿトノ出來ル人物トシテ期待ヲ懸ケ更ニ將來モ斯ル協力關係ヲ益々發展サセ吾々自ラカ大キナ問題ヲ擔當シナケレハナラヌ時期ニ至ツタ場合ノ良キ協力者トシテ密ニ心ノ裡ニ用意シテ置イタ人物ノ一人テアツタノテアリマス

尾崎ノ思想的傾向ニ就テハ世間テハ左翼的トノ評モアリマシタカ私ハ左樣ニハ考ヘス同人ノ執筆論文ヤ日頃ノ談話ヲ通シテハ寧ロ左翼トハ反對ナ立場ニアルモノト考ヘ牛場ト話合ツタ時尾崎ハ赤デハナク黑ダト言ツテ尾崎ハ思想ヲ評シタコトサヘアル位テ尾崎カ左翼事件テ檢擧サレタ噂ヲ聞

イタ後テサヘ本當トハ受取レナカツタ程テアリマス

2

極秘

検事訊問調書（三月三十日附）

被疑者 西園寺公一

一、問　被疑者ハ第一回訊問ノ際尾崎秀實ニ對シ國家ノ機密ヤ軍事上ノ秘密ヲ漏シタコトハナイト述ヘタガ之ニ付キ何カ云フコトハナイカ

答　私ハ最初ノ御訊問ノ際其ノ樣ニ述ヘマシタカ實ハ御訊ネニ該當スル樣ナ事實カアリマスノテ卒直ニ此ノ事實ヲ申述ヘマス現在記憶ニアルノハ

支那問題特ニ汪兆銘工作ニ關スルモノ

日獨及日ソ問題ニ關スルモノ

日米交渉ニ關スルモノ

其ノ他テアリマス　私ハ之等ノ問題ニハ直接若ハ間接ニ關

係ヲ持チ種々ノ事實ヤ情報ヲ知リ得ル地位ニ在リマシタノテ其ノ知リ得タ處ヲ尾崎ニ話シテ居ルノデアリマス

二、問　汪兆銘工作ニ關與シタ關係ニ付キ述ヘヨ

答　汪兆銘工作トハ云ヘナイモノカモ知レマセヌカ私ハ蘆溝橋事件ノ直後當時ノ同盟通信社長故岩永裕吉氏ノ勸ニ基キ事件不擴大ノ可能性ノ有無調査ノ爲メ上海ニ渡リ松本重治ノ斡旋ニ依リ

宋　子　文
周　作　民
徐　眞　六
高　宗　武

等ニ會ヒ之等支那側要人ノ意向ヲ打診シタ結果交渉ノ仕方ノ具合ニ依ツテハ局地的解決ノ可能性ナシトシナイ意見ヲ

持ツテ歸ツテ來マシタカ歸京シタ頃ニハ情勢ハ刻一刻擴大ノ方向ニ進ミ支那中央軍ハ續々北上シ又日本カラモ增援部隊カ急派サレルト云フ狀態テ現實ニハ不擴大ノ餘地ヲ失ツテ來テ居リマス

抑々汪兆銘工作ノ出發ハ事變ノ直後ヨリ開始サレタモノテ松岡洋右氏ノ筋ニアル西義顯、伊藤義男ヤ影佐少將及其ノ系統ニアル今井大佐、犬養健並ニ松本重治等ニヨリ夫々行ハレ之カ近衞內閣ニ取上ケラレルニ至ツタモノト考ヘマス

昭和十三年晩春高宗武カ秘ニ來朝シタコトカアリマシタカ私ハ此ノ際高宗武ニ會ヒ其ノ前年七月高宗武ト會ツタ時話合ツタ日支兩國ノ青年ノ提携ノ可能性ニツキ論シ相互ニ努力スヘキコトヲ約シマシタ　此ノ時ハ何モ判ラナカツタノテシタカ後ニナツテ考ヘルト高宗武ノ來朝ハ所謂汪兆銘工

作ノ發端テ其ノ為同人カ來朝シタモノテアルコトカ推知サレマシタ　汪兆銘工作ノ初期ニハ日本側テハ其ノ工作ハ軍ヲ背景トシ其ノ了解ノ下ニ進メラレ具体的ニハ松岡氏ノ意ヲ受ケタ松本、西、伊藤等カ工作ニ當リ同人等ハ上海及香港ニ於テ汪兆銘引出ヲ劃策シ其ノ間先方カラハ周佛海、高宗武、梅思平等カ當時重慶ニ居タ汪兆銘ト連絡シツツ之ニ應シテ來タノテアリマス　其ノ後昭和十三年秋頃高宗武、周隆庠カ秘ニ來朝シ參謀本部ト打合ヲシマシタカ其ノ際私モ松本、西、伊藤、犬養其ノ他ト共ニ箱根ノ宮ノ下不二屋ホテルテ兩名ニ會ヒマシタ　犬養ハ其ノ頃カラ此ノ運動ニ參劃スル樣ニナツテ居タノテアリマス　近衛内閣トシテモ其頃カラ此ノ工作ヲ取上ケル事ニナリ双方ノ話合ハ次第ニ具体化シタラシク間モナク同年十二月ニハ汪兆銘ハ重慶ヲ脱出シ影佐禎昭、犬養、伊藤等ニ迎ヘラレテハイノヨリ上海ニ來リ同年十二月二十二日ノ近衞首相ノ「更生新支那トノ國交調整ニ關スル根本方針ノ聲明」ニ呼應シテ同月三十日蔣介石ニ對シ通電ヲ發シマシタ此ノ工作ハ第一次近衞內閣ノ後ヲ受ケタ平沼內閣ニ引繼カレ昭和十四年六月ニハ汪兆銘ハ高宗武、周佛海、梅思平ト共ニ秘ニ來朝シ平沼首相、近衞公ト會見シマシタ私ハ汪氏來朝ノ直前當時ノ參謀本部第八課ノ樋口、塚本兩少佐ノ來訪ヲ受ケ汪氏在京中ノ宿舍ノ斡旋ヲ依賴サレテ瀧野川ノ故古川男爵邸ヲ世話シマシタカ其ノ關係モアツテ滯在二週間ハ一行ノ世話役ヲ引受ケ毎日ノ如ク其ノ宿舍ニ出入シテ居リマシタ

斯クシテ汪兆銘ヲ初メ其ノ一統ハ上海ノ愚園路ノ一角ニ於テ新政府樹立ノ準備ヲ着々進メ一方日本側トシテハ影佐少

將ヲ首班トスル所謂梅機關カ設ケラレ之ニハ犬養健、外務省東亜局ノ矢野征起等モ參加シ汪側トノ間ニ具体的ナ現地交渉ヲ開始シマシタ其ノ間同年秋頃ニハ周佛海カ秘ニ來朝シ政府、軍部ノ上層ト連絡シマシタカ私ハ前ト同様其ノ世話役ヲ引受ケマシタ昭和十四年八月成立シタ阿部内閣ニモ汪兆銘工作ハ其ノ儘引繼カレマシタ　私ハ同年十二月ノ上中旬ニ掛ケ十日間ニ亘リ上海、南京ニ旅行シ汪兆銘ヲ初メ周佛海、梅思平、周隆庠等ト會見シ又日本側ノ影佐、犬養、矢野、伊藤等トモ會ヒ現地交渉カ進捗シツツアルコトヲ知ツテ歸京シマシタ　現地ニ於ケル交渉ハ間モナク一段落ヲ告ケ同年十二月末ニハ影佐、犬養等ハ連絡ノ爲メ飛行機デ歸京シテ居リマス

其ノ後昭和十五年三月三十日新國民政府ノ成立、南京還都

式カ取リ行ハレマシタカ私ハ還都式ノ直後臼井大佐等ノ勸ニ依リ新政府成立後ノ現地ノ空氣ヲ見ル爲メ上海、南京ニ赴キ松本重治ト共ニ汪兆銘ト會見シ又陳公博、梅思平、林伯生、夏奇峰、周隆庠トモ會ヒマシタ、汪兆銘トノ會見ニ於テハ同氏ノ近衞公ニ對スル傳言トシテ「新政府ハ成立シタモノノヤリ苦イ現實ノ數々カアルカ兎ニ角新政府カ獨立シタ政府テアルトノ面子ヲ持タセテ貰ヒ度イトノ事テ其ノ爲先ツ㈠上海、南京間ノ鐵道ヲ日本側ヨリ離シテ支那人ノ手ニ依リ運營セシメテ欲シイ、㈡物資ノ流通、例ヘハ米ノ問題テモ支那側ノ手ニヨリ日本軍ノ需要ヲ充ス樣ニシタク現狀ノ如ク軍ニ依リ抑ヘラレテ居ル狀態テハ新政府ハ民衆ノ依賴ヲ得ルニ由ナク、又價段ノ點モ支那側ニ於テ行フ方カ安クナル可能性カアル、㈢南京城内丈ケテモ支那人ニヤ

ラセテ欲シイ等ト云フ申入ヲ受ケテ歸リ之ヲ近衛公ニ傳達致シマシタ

南京還都後阿部特派大使一行カ南京ニ赴キ昭和十四年十二月ノ内約ニ基キ汪兆銘トノ間ニ日華兩國間ノ基本條約締結其ノ他ノ折衝ヲ開始シマシタ　犬養健ハ同大使ニ隨行シ交渉委員ノ一人トシテ之ニ參加シテ居リマシタ同年八月末ニハ現地交渉カ成立シ九月ヨリ十月ニ掛ケテ現地ヨリ阿部大使、影佐、犬養、矢野、日高參事官等カ來テ内地ニ於ケル最後的ノ審議ヲ爲シ十一月三十日條約ノ調印ヲ終リ日華間ニ基本條約ノ締結ヲ見タノテアリマス

以上申述ヘタ次第テ私ハ汪兆銘工作ニハ相當深ク關聯ヲ持ツテ居タノテアリマスカ左樣ナ關係カラ犬養健ヨリ昭和十四年十二月現地交渉ノ結果成立シタ日華間ノ内約ナルモノ

及昭和十五年八月成立ヲ見タ日華基本條約關係ノ案ヲ見セラレ前者ハ之ヲ寫取リ其ノ後尾崎ニ示シテ居リマス

三、問　然ラハ日華間ノ内約ナルモノヲ入手シタ經緯ヲ述ヘヨ

答　襄ニ述ヘタ通リ現地交渉カ一應纏ツタ昭和十四年十二月末影佐、犬養等カ飛行機テ歸ツテ來タ直後ノ翌年一月上旬頃四谷南町ノ犬養宅ヲ訪問シタ時同人ヨリ美濃版用紙五、六枚ニタイプシタ内約ノ案文ヲ見セラレマシタノテ其ノ場テ四百字詰大型黄色ノ原稿用紙四、五枚ノ裏面ニ万年筆テ急イテ寫取リマシタ此ノ原稿用紙ハ駿河臺ノ本邸ニ藏ツテ置キマシタカ丸山町ニ引越スル際書類ヲ整理シタトコロ他ノ汪兆銘工作關係文書ト共ニ出テ來マシタノテ一諸ニ燒却シマシタカラ現在ハ手許ニハ殘ツテ居リマセヌ

四、問　其ノ内約ノ寫ヲ尾崎秀實ニ見セタ顛末ハ

答

私ハ内約ヲ寫取ツテ間モナイ昭和十五年一月上旬頃尾崎ニ原稿用紙ニ寫取ツタモノヲ見セテ居リマス當時尾崎モ内約ノ條件等ニ關心ヲ持チ研究シテ居リ風見書記官長ヤ犬養健等ニモ此ノ問題ニ付キ意見ヲ具申シテ居タト記憶シマスカ左樣ナ關係モアリマシタノテ尾崎カ駿河臺ノ私宅ニ來タ時内約ノ寫ノアルコトヲ話シマスト一寸ソレヲ見セテ呉レ研究シテ見ルカラト云ヒマシタカラ私ハ其ノ寫ヲ出シテ同人ニ見セマシタ、此ノ文書ハ急イテ寫シタ爲走リ書キトナリ讀ミ苦イト思ヒマシタカラ「汚イケド判ルカ」ト云ヒマスト尾崎ハ「判ル」ト云ツテ讀ンテ居タコトヲ判然覺ヘテ居リマス

併シ此ノ文書ヲ尾崎ニ貸與シタカ唯其ノ場テ見セテ直ク返還ヲ受ケタカノ記憶ハ判然致シマセヌ

五、問　尾崎秀實ハ被疑者ヨリ十日間程借受ケ返還シタ旨又借受ケタ文書ハ二段書ニナツテ居タ旨供述シテ居ルカ如何

答　只今モ述ヘタ通リ尾崎ニ其ノ文書ヲ貸與シタカ否カハ記憶カ判然シナイノテアリマスカ若シ尾崎カ寫取ツテ居ルトスレハ其ノ文書ハ相當ノ量ノモノテシタカラ或ハ同人ノ云フ通リ貸與シタカトモ考ヘラレマス其ノ原稿用紙ノ書方ノ點ニ付テハ尾崎ノ供述ハ明ニ間違ヒテアリマス　私ハ二段書ニハセヌ縦ニ捧書キニシマシタ此ノ點ハ丸山町引越ノ際ニモ其ノ文書ヲ見テ居リマスノテ私ノ記憶ニ間違ヒアリマセヌ　但シ文書ノ一部ニ二段書ノ箇所カアツタカ否カハ判然シマセヌ

六、問　其ノ内約ナルモノノ内容ハ

答　私ノ寫取ツタ内約ナルモノノ内容ハ大別シテ四點ニ分ケラ

レルト記憶シテ居リマス
第一點ハ所謂近衞三原則ヲ基本トシテ掲ケ㈠善隣友交、㈡互惠平等、㈢不割讓非賠償ノ原則的ナルモノヲ記載シ殊ニ㈡ノ互惠平等ニ付テハ經濟合作ヲ中心ニシタ事項テアツタト記憶シマス　第二點ハ特殊地域ノ問題カ取上ケラレ北支ハ滿洲ト緊密ナ關係カアルノテ經濟的ニモ日本ハ北支ニ於テ特殊ノ地位ヲ占メ蒙疆モ同樣ノ意味ニ於テ特別ニ取扱ハレ又中支ノ三角地帶ニ在ツテハ日本ノ優先的地位ヲ保障スルモノテアリマシタ　第三點ハ日支共同防衞ノ問題テ之カ爲日本軍駐屯ヲ規定シテ居リマスカソレニハ防共駐屯ト治安駐屯ノ二カアリ前者ニ於テハ共產主義防衞ノ爲メ支那側ニ協力スル意味ニ於テ北支蒙疆ノ軍事的要地ニ日本軍カ駐屯シ後者ニ於テハ支那事變ノ爲メ起ツテ居ル現在ノ狀態カ平靜ニ復スル迄治安維持ノ爲日本軍ハ占領地域一帶ニ駐屯シ且ツ其ノ撤兵時期ハ平靜ニ復シテヨリ五ケ年間ト定メラレテ居タ樣ニ思ヒマス　第四點ハ日滿支三國ノ共存共榮ノ原則的ナモノカ揭ゲラレ滿洲國ノ承認ヲ此ノ言葉テ現ハシテ居タト記憶シマス　內約ナルモノノ內容ハ以上述ヘタ通リテ將來ノ日華關係ノ基本的ナルモノノ成立スル場合ノ基礎トモナルヘキ重要ナモノテ軍事ニ關スルモノヲ含ミ且ツ將來正式ナ條約ヲ締結シタ場合ニモ表面ニハ出サレナイテ秘密ニ付セラレル樣ナモノ迄ヲモ含ンテ居タノテアリマシテ日本ノ政治上軍事上重要ナ意味ヲ有スルモノテアリマス

七、問　何故左樣ナ文書ヲ尾崎ニ見セタノカ

答　尾崎ハ內閣囑託時代風見書記官長ニ支那問題ニ付キ意見ヲ具申シ又汪兆銘工作ト關聯アル昭和十三年十二月二十二日

ノ近衛聲明ノ立案ニモ直接關係シタ程テ汪兆銘工作ニハ直接ノ關係ハアリマセヌカ内部的間接的ニハ關係カアツタト云ヘマス　既ニ申述ヘタ通リ私ハ尾崎カ支那問題ニ通シテ居ルノテ昭和十三年中頃カラ此ノ工作ニツキ同人ノ意見ヲ徴シタリシテモ居リマシタ尾崎ハ最初ハ此ノ工作ニ消極的テアリ汪ハロボツト化シ從テ之ニヨリ支那ヲ動カスコトハ不可能テアルカラ無駄ナ事テアルトシテ反對ノ態度ヲ採ツテ居マシタカ交渉カ次第ニ進ムニツレ犬養ノ說得モアツタリシテ認識ヲ新ニシ從來ノ態度ヲ變ヘテ建設的ナ意見ヲ述ヘル樣ニナツテ來テ居リマシタ左樣ナ次第テ今ニシテ思ヘハ甚タ輕卒テアリマシタカ其ノ當時トシテハ信頼スルニ足ル友人テモアリ且ツ支那問題ニ付テハ私ノ先輩テアツタハカリテナク汪兆銘工作ニ一層積極的ニ協力シテ貰ヒ度イトノ考モアリマシタノテ求メラレル儘ニ見セタ次第テアリマス

八、問　犬養健ヨリ日華基本條約關係ノ案文ヲ見セラレタ顛末ヲ述ヘヨ

答　前述ノ内約ナルモノカ基本トナリ昭和十五年八月末頃現地交渉ノ結果日華基本條約及其ノ附屬書ノ案カ出來上リ同年九月ニハ影佐犬養等現地關係者カ上京シ内地ニ於ケル最後的ノ審議ヲシタノテスカ私ハ其ノ當時四谷南町ノ犬養宅ヲ訪問シタ時美濃紙ノ樣ナ日本紙六、七枚ニタイプシタ案文ヲ見セラレタノテアリマス其ノ内容ノ詳細ハ記憶シマセヌカ前ニ見セラレタ内約ノ要點ハ大体含マレテ居マシタガ之ト相異シテ居ル點ハ

(一)新ニ海南島ノ問題カ取入レラレタコト此ノ問題ニ付テハ日支兩國ノ共同防衞ト云フ文字カ用ヒラレ尚經濟的ニモ日本ニ優先權ヲ認メテ居タコト

(二)前ノ内約ヨリモ支那ニ課セラレタ條件カ重クナツテ居ル

コト

等テ犬養ノ説明テハ(一)ノ日支共同防衛ハ汪政府ニ軍隊カナイノテ日本軍ノミノ海南島駐屯トナル譯テアリ又他ノ地域ニ於ケル日本軍ノ駐屯ニ付テハ支那側ニハ不平カアツタトノ事テアリ總シテ支那側トシテハ政府ヲ樹テル以上夫カ發展シナケレハナラヌノニ平等テナイ爲民衆ニ對シテ非常ニヤリ苦イト不平ヲ云ツテ居ルトノコトテアリマシタ

此ノ文書ニハ同年十一月末政府ヨリ發表サレタ條約文ハ勿論含マレテ居リマセヌカ眞ノ發表ノ際示サレナカツタ秘密ノ附屬書ノ案モ收メラレテ居リマシタ私ハ此ノ文書ハ見セラレタノミテ寫取ツテハ居リマセヌ一覽シタ上テ直ニ犬養ニ返還シマシタ

九、問　日獨及日ソ關係ハ

答　獨ソ開戰ノ報ノ入ツタ六月二十二日ハ丁度同年三月ノ訪歐ノ一行ノ集リガ芝ノ料亭「一佐賀野」デ開カレル日デアリマシタ集ツタノハ永井大佐、藤井中佐、外務省ノ坂本歐亞局長、加瀬秘書官、長谷川秘書官、同盟ノ岡村二一、私等デ松岡外相モ一寸顏ヲ出シタト思ヒマス同席ハ獨ソ開戰ノ話ニ持切リ「吃度大島大使カラ是非獨ニ呼應シテ立テト喧シク云ツテ來ルニ違ヒナイテアラウ」トノ意見モ出マシタ此ノ時ハ纏ツタ話ハナク解散シマシタカ其ノ後果シテ大島大使カラ日本ハ獨逸ニ對シ軍事同盟ノ義務カアルカラ早ク獨逸ニ呼應シテ起テト云ツテ來ル事ヤ駐日獨逸大使オットヨリモ同シ事カ云ハレテ來ル事等ヲ同盟通信社ニ遊ヒニ行ツタ時誰カカラ聞キ又朝飯會ニ於テハ活潑ニ獨ソ戰ノ見透ヤ日本ノ採ルヘキ態度ニ付キ論議サレマシタ　大本營ノ連絡會議等ニ付テモ平沼內閣當時ノ日獨軍事同盟ノ問題ノ時ノ如ク小田原評定ニ終ハルノテハナイカトノ見透モ話サレ又松本重治カラハ大島大使ヤオット大使カラノ督促ニ對シテ政府ハ何等積極的ニ動キ出シテ居ナイト云フ情報モ齎ラサレマシタ

獨ソ戰ノ見透ニ付テノ論議ハ殊ニ活潑テ私ヤ牛場ハ

「獨逸軍ノ進擊振リカラ見テ獨逸ハ軍事的ニ壓倒的且ツ極メテ迅速ニソ聯軍ヲ壓ヘ二ケ月モスレハソ聯ハ敗戰ヲ喫シ內政的ニモ崩壞ヲ來タシテスターリン政權ハ倒レソ聯ハ獨逸ニ屈服セサルヲ得ナイテアラウ夫レテ獨逸トシテハ其ノ勢ニ乘シテ歐露ノ征服ノミテ滿足セスシベリヤ迄抑ヘ樣トシナイトモ限ラヌソウナレハ日本トシテハ不利ノ立場ニナリソ聯ニ關スル發言權ハ全然ナクナリハシナイダラウカ」デ

アルカラソウナル前ニ例ヘハモスコー陷落ノ直前ト云フ樣ナ好イ時期ヲ狙ツテ積極的ニ獨ソ間ノ調停ニ立ツ行方カ考ヘラレルノテハナイタラウカ、之ニ成功スレハ日本ハ戰爭ニ依ラスシテ利權ヤ北樺太ノ問題ヲ有利ニ解決シ得ルテアラウ」

ト云フ意見ヲ述ヘ又柳川將軍ノ許ニ出入シテ作戰ノコトヲ聞キ知ツテ居タ佐々ハ

「作戰的ニ見テ其ノ樣ニ早クソ聯カ敗ケルコトハナカラウ獨逸モ今後相當苦勞スルテアラウ」

ト云ヒ平貞藏モ略同樣ノ意見ヲ持ツテ居リマシタ　又ソ聯敗戰ノ場合ノ政權ニ付テモ私ノ見透ト異リスターリン政權カ變質シテ獨逸ト妥協スル可能性ヲ主張スルモノモアリマシタ

私達ノ意見ニ對シ尾崎ハ反對テ
「ソ聯ハ立上リハ拙カツタカソ聯ニハ底力カアリ之ハ未タ出テ居ナイ一度戰線カ膠着狀態ニナルトソ聯內部ノ崩壞ノ危險性ヨリモ寧ロ獨逸內部ニ色々ナ不滿カ現ハレテ來テ對ソ戰ヲ遂行スルコトカ出來ヌ樣ニナル可能性サヘ持ツテ來ル　假令軍事的ニ獨逸カ勝ツタトシテモ革命後永イ年月ヲ經テ居ルコトテアルカラスターリン政權ノ基礎ハ固ク假ニスターリンカ死ンタリ或ハ之ニ代ルモノヲ持ツテ來テモ民衆ハ從イテ來ナイニ違ヒナイダカラ內政的崩壞ハ考ヘラレナイシ獨逸カ自己ニ都合ノ良イ政權ヲ樹テテモ永續キハシナイテアラウ」
ト述ヘ尙日本ノ對ソ戰ニ關シテハ
「ソ聯軍ハ相當強ク從テ犧牲ヲ多ク出スコトヲ覺悟シナケ

レハナラヌノニ比シシベリヤニハ此ノ犧牲ニ價スル丈ノ經濟的ノ何物モナイカラソ聯トハ戰フヘキテナイ」トノ意見ヲ述ヘテ對ソ戰ニ反對シ殊ニ牛場トハ全ク見透ヲ異ニシ盛ニ議論シマシタ其ノ後スモレンスク地區テ戰線カ膠着シ獨逸ノ進擊カ鈍ツテ來ルト尾崎ハ得意ニナツテソレ見タコトカト云フ態度テ自己ノ見透ノ間違ツテ居ナカツタ事ヲ強調スル樣ニナリマシタ　私ヤ牛場ハ此ノ點ニ於テ確ニ見透ヲ過ツテ居リマシタカソウナツテカラハ益々吾々ハ日本ニヨル獨ソ間ノ調停ノ必要ヲ力說シマシタカ夫ニ對シテハ尾崎ハ冷淡テシタ

尙其ノ頃ノ朝飯會ノ席上テ條約ノ解釋論カ話題トナリマシタ卽チ日獨伊軍事同盟ハ日本ノ外交政策ノ根幹ヲ爲スモノテアリ御詔勅サヘ戴イテ出來タモノテアルカラ新ニ御詔勅

カ出ナイ限リ他ノモノニ優先スルモノテアリ從ツテ日ソ中立條約ト三國軍事同盟カ矛盾スルコトニナレハ當然軍事同盟カ優先スルト云フ考方ト他方ニハ日獨伊軍事同盟締結當時ハ獨ソ戰ハ豫想サレス且ツ對ソノ問題ニ付テハ寧ロ日獨双方トモ判然之ヲ對象トシテ居ナカツタコトハ同盟條約カ對ソ問題ニ觸レナカツタ條文上ニモ現ハレテ居ルトコロテ從ツテ全ク新シイ狀態カ生レタ場合ニハ其ノ狀態ニ關スル限リ日本トシテハ獨自ノ解釋ヲ爲シ得ルノテアツテ日ソ中立條約ノ評價ニモ此ノ立場ヲ採リ得ルト云フ考方テアリマシタ但シ斯樣ナ解釋論ハ行ハレマシタカ何レカ正シイカトノ結論ヲ得タ譯テハアリマセヌテシタ

十、問　被疑者ハ尾崎ニ對シ政府及軍部ハ獨ソ開戰ノ事前ニ於テ會議ヲ開キ對獨ソ戰ニハ中立ヲ維持スル旨ノ決定ヲシタト話シタノテハナイカ

答　左樣ナ事實ハ全ク記憶ニアリマセヌ私ハ開戰ノ三日前外相官邸ニ於ケル財界人トノ茶話會カ何カノ席ノ後テ松岡外相カ大橋官外二三名ト雜談中大橋次官ヨリ「獨逸ハソ聯ヲ叩クダラウカ」ト云フト松岡外相ハ「ソンナ事ハナイヨ」若シアツタラ首ヲヤルヨ」ト云ツタノヲ覺ヘテ居リマス其後獨ソ戰カ始ツテカラ此ノ事ヲ思ヒ出シ松岡外相ニ見當カ違ヒマシタネト云フト外相ハ笑ニ紛ラシテアノ時ハアヽ云ツテ置イタノタト誤魔化シテ了ツタ事ヲ覺ヘテ居ル位テ私ノ印象テハ獨ソ戰開始前ニ獨逸ヨリ日本政府ニ對シテ豫メ何等カノ通告ヲ爲シテ來タト云フ事ヲ他カラ聞イタ覺ヘハ

ナク寧ロ反對ニ事前ノ通告ヲセスシテ戰爭ヲ開始シタコトニ對シ不滿ヲ抱イタ印象サヘアル位テ從テ尾崎ニ對シ御訊ネノ様ナ事ヲ云ツタ記憶ハ全クナク尾崎ノ記憶違ヒカト思ヒマス

十一、問　昭和十六年七月二日ノ御前會議ノ内容ヲ尾崎ニ告ケテハ居ナイカ

答　其ノ點ニ付テモ記憶カ判然トシマセヌ

私ハ御前會議ノ決定事項ハ

「獨ソ戰ニ對シテハ當面中立ヲ維持シシベリヤニ對シテハ攻撃ニ出テルコトナク其ノ間ソ聯トノ懸案ハ從來ノ方針ニ基キ交渉ヲ進メル但シ從來國境方面ノ紛爭モアツタ上ニ又聯トシテハ戰時下ノ昂奮狀態ニアリ且ハアメリカノ指嗾等ノ處モアルノテ國境ノ衝突事件ヲ契機トシテ日ソ

カ全面的戰爭ニ入ル危險モアルカラ此ノ際北方ニ對シテハ如何ナル事態トナツテモ直ニ之ニ應シ得ルカ如キ態勢ヲ備ヘル爲兵力增強ヲ行フコト、南方ニ對シテハ泰、佛印ト緊密ナル關係ヲ作リ南方ニ對スル作戰的基地ヲ獲得シ南方ヨリスル包圍陣ニ對抗シ得ル軍事的地歩ヲ獲得スルコト」

以上ノモノテアツタト察シテ居リマシタ此ノ御前會議ノアツタ直後海軍省ニ藤井茂中佐ヲ訪ネ應接間テ面會シタ際藤井中佐ヨリ「自分ノ考ヘ通リ巧ク行ツタ」ト御前會議ノ決定カ藤井中佐ノ豫ネテ考ヘテ居タ通リ決定シタコトヲ知ラシテ呉レタノテ知ルコトカ出來マシタ藤井中佐ハ現在ハ聯合艦隊ノ參謀ヲシテ居リマスカ當時ハ軍務局第二課ニ勤務シ私トハ訪歐當時後ヲ共ニシタ關係テ知合ヒ親シク交際シ

タ結果互ニ共鳴スル處カアリ公私共ニ援ケ合フコトヲ約シタ兄弟ノ如キ間柄テス左様ナ關係テ獨ソ開戰後ハ此ノ國際政局ニ日本ハ如何ニ處スヘキカニ付テ屢々意見ノ交換ヲ行ヒマシタカ藤井中佐ハ

「第一ニ問題ナノハ現在ノ日本ハ此ノ儘テハジリ貧ニナル外ハナイカラ英米蘭支ノ包圍陣ニ對抗シテ行クヘキ体制ヲ備ヘネハナラヌ最後ノ土壇場ニ追込マレテ後立上ッタノテハ既ニ遲イ兎ニ角南方包圍陣ニ對抗スル爲ノ足場ヲ築イテ何時テモ立上ルコトノ出來ル準備ヲスルコトカ肝要テアル、併シ南方全部ヲ總テ攻略スルト云フ意味テハナク包圍陣ヲ破ルヘキ活路ヲシッカリ握ル準備ヲ必要トスルノテアル、夫レニハ泰及佛印ト堅イ協力關係ヲ作ルノカ一番適切テアル一方北ノソ聯トハ何時カハ戰ハネハナラヌカ今ハソノ時期デハナク寧ロ獨ソカ戰ツテソ聯カ弱ツテ來ルトキ迄待ツヘキテ熟柿主義テヤルヘキテアリ段階的ニハ南方ヲ先ニヤルヘキテアル、但シ南方ニ對シテ基地獲得ノ爲軍事行動ヲ起セハ北方ヨリノ脅威カアリ南北兩面ヨリ包圍サレル危險カアルカラ之ニ備ヘル爲兵力增強ヲ行ヒ事態ニヨツテハ何時テモ立チ得ル態勢ヲ整ヘテ置ク要カアルカ飽ク迄北方シベリヤニ對シテハ當面攻擊ニ出スヘキテナイ」

トノ意見ヲ持ツテ居マシタカラ藤井中佐ヨリ「自分ノ考通リ旨ク行ツタ」ト聞カサレタ時同中佐ノ日頃ノ持論カラ見テ御前會議テハ先ニ述ヘタ通リノ決定ヲ見タモノト判斷シタノテアリマス

此ノ御前會議ノ決定事項ヲ尾崎ニ話シタカノ點ハ什ウモ判然シマセヌ御前會議テコレノコトカ決定シタト云フ風ニ具体的ニ尾崎ニ話シタ記憶ハ全クアリマセヌ

但シ御前會議ノアツタ前後頃ニハ尾崎ト時々會ツテ日本トシテハ此ノ情勢下ニ如何ニ處スヘキカニ付キ話合ツテ居ルノテ其ノ間ニ先方ニ夫レト察シツ付ク様ナ話ヲシタカモ知レマセヌカ私トシテハ御前會議ノ決定事項ヲ特ニ尾崎ニ知セテヤラウト意識シテ話シタ印象ハ全クナイノテ從ツテ察シノ付クヤウナ話ヲシタトシテモ如何様ニ話シタカハ記憶ニアリマセヌ

併シ八月下旬ノ軍ノ會議テ對ソ戰ヲヤラヌコトニ決定シタ事實カアリマスカ此ノ點ニ付テハ確ニ尾崎ニ話シテ居リマス

十三、問　其ノ軍ノ會議ノ事實ニ付キ述ヘヨ

答　七月二日ノ御前會議テ北方問題ハ一應決リマシタカ其ノ直後ニ行ハレタ動員ハ極メテ廣範圍ニ亘ル大動員テ世間テハ北方ニ對シテ戰爭ヲ開始スルノテハナイカトノ憶測カ盛ニ行ハレ又大島大使ヤ獨逸當局カラモソ聯ニ對シ軍事行動ヲ起セト督促シテ來タラシイ空氣カ察セラレ陸軍部內ノ若イ連中ノ間ニハ此ノ際ソ聯ヲ叩ケトノ強硬論カ盛ントナツテ居ルトノ事モ朝食會アタリテ話題ニ上ツテ來タノテ御前會議テ一應ハ決ツタモノノ亦北方ニ對シテ行動ヲ起スノテハナイカトノ疑念ヲ持ツ樣ニナリ第二次近衞內閣總辭職ノ直前頃ニハ一度松岡外相ノ處ニ行ツテ聞イテ見樣カト秘ニ考ヘマシタカ突如內閣總辭職カ行ハレタノテ果シマセヌテシタ、斯樣ナ情勢ハ其後モ續イテ居リマシタカ動員ノ終ツタ

八月中旬過キカ下旬ノ事朝食會ノ時ニ誰カカラ陸軍テハ各地カラ人カ來テ話合ツテ居ルトノ事ヲ聞イタノテ對ソ戰ニ關シ陸軍ノ態度ヲ決定スル爲ニ中央テ相談シテ居ルモノト察シマシタ、各地カラ人カ來テ話合ツテ居ルト云フノハ關東軍支那總軍朝鮮軍ノ首腦者ト會談シテ居ルト云フ意味テアリマス朝食會テハ此ノ會議テ如何ニ決定シタカノ話ハ聞キマセヌテシタカ八月下旬官邸ノ午饗會ノアツタ際藤井中佐ト二人丈ケニナツタ時私ハ藤井ニ「北ノ方ハ決ツタカ」ト聞イタトコロ藤井ハ「決ツタヨ」ト云ヒマシタカラ私ハ重ネテ「什ウ決ツタカ」ト尋ネルト其ノ言葉ハ忘レマシタカヤラン／＼ト云フ調子テソ聯ニ對シテハ戰爭ヲ開始セヌ事ニ決定シタ旨教ヘテ呉レマシタノテ其ノ會議テ陸軍ノ態度カ決リソ聯戰ハ當面起サヌ事ニ決定シタ事ヲ知ツタノテ

アリマス
然ルニ其ノ二、三日後滿鐵ノ「アジア」テ尾崎ト一緒ニ晝飯ヲ食ヘタ時尾崎ノ方カラ「軍人カ中央ニ集ツテ何カ相談シタラシイネ」ト云ヒ此ノ問題ニ付キ或ル程度知ツテ居ルラシイ口吻テ話ヲ持チ出シマシタカラ私ハ「決ツタラシイヨ」ト答ヘマスト尾崎ハ「ヌウラシイネ」ト云ヒマシタカラ私ハ重ネテ「ヤラヌ方ニネ」ト云ヒマスト尾崎ハ「フン、フンソウラシイネ」ト云ヒマシタ此ノ話ハソレ丈ケノ極メテ簡單ナモノテソレカラハ四方山ノ話ヲシマシタカ其ノ時ノ事テ覺ヘテ居ルノハ尾崎カラ「上海ニ來テ呉レト云ハレタカ氣カ進マスニ居タトコロ今度ハ田中滿鐵調査部長カ是非滿洲ニ來テ呉レト云ツテ來タノテ近ク滿洲ニ旅行スル事ニシタ」トノ話カアリ間モ無ク出發スルラシカツタノテ私

ハ妻カラ晒木綿ヲ欲シイト云ハレテ居タノヲ思ヒ出シ尾崎ニ滿洲ニ行ツタラ晒ヲ買ツテ來テ呉レト依賴シテ置キマシタ

軍ノ中央部テ對ソ戰ヲ行ハヌ事ニ決定シタト云フ事ハ軍ノ機密ニ屬スル事テ輕々ニ口ニスヘキ事柄テナイ事ハ良ク存シテ居リマシタカ既ニ述ヘタ通リ相手カ信賴ヲカケタ尾崎ノ事テハアリ又先方カラ或ル程度知ツテ居ルラシイ口吻テ話ヲ持チ出サレマシタノテ遂ヒ不用意ニ藤井中佐カラ聞イタ事ヲ告ケタ次第テ現在テハ甚タ輕卒テアツタト思ツテ居リマス

検事訊問調書（三月三十一日）

被疑者　西園寺公一

一、問　日米交渉關係ニ付キ述ベヨ

答　私ハ外務省囑託トシテハ仕事ラシイ仕事ヲシナカツタノデ此ノ關係カラハ日米交渉ニハ何等關聯ハ持チマセンデシタ

日米間ニ外交々渉カ行レテ居ル事實ヲ最初知ツタノハ松岡外相ニ隨行シテ訪歐シタ途次ノ事デシベリヤ鐵道ノ車中松岡外相ヨリ今岩畔ヤ井川（産業組合中央會理事）等カ米國ニ行ツテ交渉シテ居ルカアンナ若僧ニ何カ出來ルカト云ハレタ事カラ既ニ日米間ニ國交調整ノ爲ノ交渉カ進メラレテ居ル事ヲ知ツタノテスカ内容ノ説明ヲ受ケナカツタノテ具体的ナ事ハ判リマセヌテシタ歸途ノ列車中テモ松岡外相ヨリ日米間ノ事ニ付キ打ツヘキ石ヲ打ツテ居ルカラ今頃ハ相當反響カアル筈タト聞カサレマシタカラ松岡外相カ獨自ノ方式テ交渉ニ乗リ出

シテ居ル事實ヲ察知シ得マシタ

私ハ歐洲ヨリ四月二十三日歸朝シ箱根テ一週間程靜養シタ上歸京シマシタカ歸ツテ見ルト近衛總理ト松岡外相トノ間カ巧ク行ツテ居ナイ空氣カ感セラレマシタ牛場秘書官ノ話テハソレハ外相ノ訪歐中外相ノ方式トハ違ツタ方式テ日米交渉カ取リ上ケラレタ爲外相カ御機嫌ヲ損ネタトノ事テ牛場カラ松岡氏ノ御機嫌ハドウニカナラヌモノカト云ハレマシタノテ其頃一度千駄ケ谷ノ松岡邸ニ様子ヲ見ニ行キマシタトコロ果シテ外相ノ御機嫌カ良クナク「岩畔アタリノ小僧ツ子ノヤル事ヲ近衛サンカ取リ上ケテヤツテ居ルカ困ツタモノタ」ト云ハレマシタカラ私ハ貴方カ一緒ニナツテ協力シテヤラナイト日本ノ外交カ二本ニナツテ見ツトモナイカラ一緒ニヤル方カ良イト云フ意味ノ事ヲ云ツテソレトナシニ諫言シタ處外相ハ自分カ巧クヤルカラト云フ様ナ事ヲ申シテ居リマシタ

ソレカラハ暫ク日米交渉ノ問題カラハ遠去ツテ居マシタカ七月十六日第二次近衛内閣ハ總辭職シ松岡外相ハ閣外ニ追放サレタ形トナリマシタ

私ハ八月上旬荻窪ノ近衛公ノ私邸ニ牛場、松本等ト共ニ招カレ公ヨリ前年三月マニラニ旅行シタ時ノ事ヲ聞カレマシタカラ私ト松本ヨリフイリツピンノ高等辯務官ノ政治顧問米人ソールスベリー等トノ會見ノ模樣ヲ述ヘテ此ノ儘テハ日米關係ハ惡化スルノミテアルカラ速ニ對策ヲ講スヘキテアル事ヲ具申シマシタ處近衛公モ自分モ其ノ樣ニ思フカ問題ハ苦イトコロ迄遡ルカラ九ケ國條約ノ研究カラカカラネハナラヌ故研究ヲシテ見テ呉レト云ハレマシタノテ私ハ之ヲ引受ケ條約ノ研究ヲ約シテ歸リマシタ

此ノ事ノアツタ前後カラ私ハ海軍中佐藤井茂ト屢々海軍省及水交社テ會ヒ同中佐ト日米交渉ニ關シ意見ノ交換ヲ行ヒ始メ

マシタ其ノ間ニ日米交渉ハ現實ニ進メラレテ居タノテアリマスカ八月上旬牛場秘書官ニ呼ハレテ總理官邸ニ行ツタ處同秘書官ヨリ「日米交渉ニ關シ陸海軍トノ間ノ連絡事務ヤ九ケ國條約ノ研究ヲヤツテ貰ヒ度イ今後ハ型破リテ本來ナラ外務省カヤルヘキタカ近衛サン自身カ乘リ出ス氣持ヲ持ツテ居リ總理自身カ中心ニナツテヤルノテ內閣テハ人手カナク困ツテ居ルカラ囑託ニナツテ手傳ツテ呉レ」ト云ハレ連絡事務ノ內容ヲ聞キマスト書記官長ニ聞イテ呉レトノ事テシタカラ更ニ富田書記官長ニ會フト「難カシク考ヘル必要ハナイ每週水曜日ニ官邸テ晝飯ヲ食ヘル事ニナツテ居ルカラソレニ出テ貰ツテ居レハ其ノ中ニヤツテ貰フ事モ出來テ來ルカラ」トノ事テシタカラ直ニ內閣囑託ヲ受諾シ其ノ翌日ニハ私ノ部屋ヲ作ツテ呉レマシタノテ每日總理官邸ニ出勤シ日米間ノ諸條約、九ケ國條約、ハル國務長官ノ聲明其ノ他ヲ研究シ又水曜日ノ午餐

會ニモ出席シテ居リマシタ此ノ午餐會ノ出席者ハ

内閣側

書記官長　富田健治

總務課長　稻田周一

囑託　萱太郎

同　私

陸軍省側

石井中佐

二宮少佐

海軍省側

藤井中佐

柴中佐

テ晝食ヲ共ニシ乍ラ日米交渉關係ノ案文提出ノ日取リヤ案提出ノ督促等ノ連絡打合セヲ行ツタリシマシタ併シソレ以外ニ

ハ大シタ意味ノアル會合テハナク廢止ノ意見サヘアッタ位テシタカソレテモ八月下旬迄ニ三回位其ノ後内閣總辭職迄五回位行ハレタト思ヒマス

總理官邸ニ出勤スル樣ニナッテカラ氣付イタノハ岩畔大佐ト共ニ米國テ交渉ニ衝ッテ居タ井川氏カ官邸ニ屢々出入シテ居タ事テアリマス私ハ牛場、松本、井川等ト折リニ觸レテ日米問題ニ付キ意見ヲ討ハセ時ニハ書記官長トモ此ノ問題テ話合ヒ又近衞總理トモ三、四回ニ亘リ私ノ研究シタ九ケ國條約、既存ノ日米間ノ諸條約、米國側ノ聲明等ニ付キ意見ヲ述ヘテ置キマシタ此ノ間ニ以前岩畔、井川等カ米國務省トノ間テ折衝シタ工作カ野村吉三郎大使ニヨリ引繼カレ所謂N工作トシテ交渉ノ進メラレツツアル事ヲ知リマシタ此ノ工作ハ成功ノ可能性ハ別トシテ或ル程度進捗ヲ見セテ居タ模樣テシタカ七月末ノ日本ノ南部佛印進駐ノ爲米國ハ俄然硬化シ交渉ハ暗礁ニ乘リ上ケテシマイマシタソコテ近衞首相ハ政治的ニ大キク解決スル決意ヲ爲シ八月上旬カ中旬位ニ野村大使ヲ通シテ近衞首相トルーズベルト大統領トノ直接會談ノ可能性ニ付キ米國側ヲ打診シタルトコロ其ノ可能性ノ見透シカ得ラレタノテ八月末ノ近衞メツセージナルモノカ大統領ニ送ラレタノデアリマス近衞メツセージハ其頃總理官邸日本間テ近衞公ヲ中心トシテ牛場、松本、私等カ晝食ヲ一緒ニシタ時近衞公カラ其ノ文書ヲ見セラレタノテ內容ハ知ツテ居リマス其ノ要旨ハ日米兩國間ノ現狀ヲ打開シテ兩國カ友好關係ニ入ル爲メニハ近衞首相トルーズベルト大統領トカ直接會談スルノカ最モ望マシイト云フニアリマシタ此ノメツセージハ兩國共極秘ヲ保ツ約束テシタカ米國務省ノ何カノ間違ヒテ米國新聞ニ掲載サレテ仕舞ツタノテ日本政府テモ發表ヲ餘儀ナクセラレタノテアリマス近衞メツセージニ對シ米國カラ回答ノ來タ事ハ知ツテ居マシタカ其ノ關係ノ文書ハ見テ居リマセヌ併シ近衛首相ノ直接會談ノ申入ニ對シテ米國政府ハ今直ニ大統領カ會見スルノハ適當テナク下交渉カ濟シテカラナラハ直接會談モ敢テ反對テハナイト云フ趣旨ノモノテアツタト聞イテ居リマス

其後八月三十日土曜日ノ正午頃總理官邸テ松本ヲ通シテ近衛首相ヨリ箱根ニ一緒ニ行カナイカトノ勸誘ヲ受ケマシタカ私ハ同夜用事カアツタノテ翌三十一日朝松本ト共ニ近衛首相ノ借リテ居ル箱根仙石原ノ不二屋ホテルノ別莊ニ出カケマシタ仙石原ノ別莊ニハ正午頃着キマシタカ其處ニハ近衛公ト牛場秘書官トカ來テ居リ晝食後ゴルフヲ一廻リヤリ午後四時頃カラ別莊ノ奧ノ洋間テ四人テ御茶ヲ飲ミマシタ此ノ時日米問題カ持出サレ近衛公カラ日本ヨリ案ヲ提出シ一應交渉ヲシタトコロヘ自分カ出掛ケテ大統領ト政治的ニ話ヲ決メルノカ良イト云フ話カアリ日本側ヨリ如何樣ニ又如何ナル問題ヲ取リ上

ケテ米國側ニ提議スヘキカニ付キ皆ノ意見ヲ求メラレマシタノテ各人ヨリ思ヒ思ヒノ意見ヲ述ヘタ處公モ非常ニ熱心ニナリ澤山ノ書類ヲ持出サレテ之ヲ見乍ラ意見ヲ述ヘラレマシタ其ノ間松本ハ公ヲ初メ各自ノ述ベタ意見ヲメモニ書キ取ツテ居リマシタ午後七時頃迄話合ツタ結果大体意見カ纏リマシタノテ近衛公ハ今日ノ事ヲ文書ニ纏メテミテ呉レナイカト云ハレ私ト松本トカ取纏役ヲ引受ケソレカラ私、松本、牛場ノ三人テ取纏方ニ付キ打合ハセヲシタ上別莊ヲ引揚ケマシタ其ノ時ノ討議テ皆ノ意見ノ一致シタ處ハ

(一)米國ニ對スル提議ノ立場トシテハ個々ノ細カイ問題ニハ觸レナイテ根本的ナ問題ヲ提示シ政治的解決ヲ圖ル方策ヲ採ルコト

(二)具体的ニハ

(1)國際關係及國家ノ本質ニ關スル日米兩國ノ觀念

(2)歐洲戰爭ニ對スル兩國ノ態度
(3)日支間ノ平和解決ニ關スル措置
(4)南西太平洋ニ關スル諸問題
(5)獨ソ戰爭ト日米兩國ノ對ソ關係
(6)日米兩國ノ通商

ノ事項ヲ取リ上ケ日米間ニ横タハル凡ユル根本問題ヲ解決スル方向ニ提議ヲ爲スコト

以上ノ通リテアリマス

私ハ別莊カラ松本ト共ニ眞直クニ宮ノ下ノ不二屋ホテルニ戻リ夕食後松本ト二人テ同人ノ取ツタメモニ基キ起案ニ取リカカリ大体ノ起案ノ整理カ付イタノデ松本ハ十一時半頃寢ニ就キ私ハソレヨリ午前三時頃迄カカツテ起案ヲ終リ寢ニ就キマシタ

翌九月一日松本ハ先ニ歸京シ私ハ午後一時頃東京ニ歸リ直ニ

総理官邸ニ行キ自室テ起案シタモノヲルーズリーフニ浄書シ二通ヲ作成シ一通ヲ手許ニ置キ他ノ一通ヲ秘書官室テ近衛首相ニ直接手渡シタ處首相ハ一通リ目ヲ通シテカラ仲々良ク出來テ居ル之ニ前文トシテN工作ノ分ヲ付ケタラ良カラウト云ツテ牛場秘書官ニ命シテタイプノ謄寫刷シタ二枚程ノクリツプテ止メタ文書ヲ出サセテ渡シテ呉レマシタ前文トシテ挿入ヲ命セラレテ渡サレタモノハN工作ニ依リ大体日米双方ニ了解済トナツタモノト其ノ時聞キマシタソレカラ私ハ此ノ案ニ就キ藤井中佐ノ意見ヲ徴シヨウト考ヘ午後五時頃海軍省ニ電話ヲ掛ケテ打合ハセタ處他ニ夕食ノ約束カアルトノ事テ夕食後水交社テ會フ事ニ決メテ午後七時半頃芝ノ水交社テ藤井中佐ト會ヒ手許ニ置イタ草稿ヲ示シテ意見ヲ求メタ處藤井ハ良ク出來テ居ルト云ツテ賛成シ更ニ同人ト共ニ一部分訂正ヲ施シマシタ

其ノ翌二日朝官邸ニ出勤シ自室テ前日近衛首相ヨリ渡サレタN工作關係ノ文書ヲルーズリーフニ寫シテ草稿ノ冒頭ニ付ケタ上牛場ニ來テ貰ヒ前夜藤井中佐ト相談シテ修正シタ旨ヲ告ケテ其ノ草稿ヲ見セマシタ。其ノ際近衛首相ノ意見ニ基キ一部修正ヲ加ヘ尙「太平洋地域ニ於ケル政治的安定ニ關スル兩國ノ方針」ナル一項目ヲ牛場自身草稿ニ挿入レマシタ牛場ハ之ヲタイプニ打ツト云ツテ修正シタ草稿ヲ持ツテ私ノ部屋ヲ出テ行キマシタ

其ノ翌三日午後秘書官室ニ呼ハレテ行ツテ見マスト牛場ハアノ案ヲタイプニ打ツテ近衛サンノ手許ニ出シテ置イタト云ヒマシタ其ノ翌四日朝秘書官室ニ行ツテ見ルト隣室總理室トノ間ノドアーヲ開ケテ近衛總理カ顏ヲ出シ私ト牛場ニ向ツテ「アレヲ僕ノ案トシテ會議ニ出ソウト思ツテ居ル」ト云ハレマシタ會議ト云フノハ大本營ト政府トノ連絡會議ノ事ト思ヒマ

シタ此ノ時私達ノ書イタ案カ愈々連絡會議ニ掛ケラレタ上米國ニ送ラレル事ニナツタ事ヲ知リマシタ其ノ日牛場ヨリ私ノ書イタ草稿カ戻サレテ來マシタカラ之ニ表紙ヲ付ケ起案及修正ノ日附場所等ヲ記載シタ上自室ノ鐵製書類函ニ收メテ置キマシタ

其後同月六日午前十時カラ宮中テ連絡會議カアリマシタカ其ノ朝私ハ官邸ノ廊下テ富田書記官長ニ出會ツタ處同氏ハ小脇ニ抱ヘタ案ノタイプノ謄寫刷シタモノ十部程ヲ一寸見セテ「アノ案ヲ之カラ會議ニ掛ケニ行キマスヨ」ト笑ヒ乍ラ云ツテ出テ行カレマシタ其ノ日ハ自分ノ書イタ案ノ成リ行キカ心ニカカリマシタノテ牛場ト共ニ書記官長ノ歸リヲ待ツテ居リマスト正午過ニ書記官長カ秘書官室ニヤツテ來テ「外務省ノ寺崎カ別ナ案ヲ持ツテ來テ會議ノ始マル前ニ自分ノ方ノ案ヲ出スカラト强硬ニ主張シコチラカラモ總理ガ此ノ案ヲ出ソウト

云ツテ居ルカラト云ツタカドウシテモ聞キ入レヌノテ止ムヲ得スコチラノ案ヲ引込メタ」ト云ヒ吾々ノ書イタ案カ會議ニ掛ケラレナカツタ旨ヲ話シテ呉レマシタ私ハ之ニハ少ナカラス不滿ヲ感シタノテ其ノ日近衞首相カ秘書官室ニ這入ツテ來タ時私ヨリ「何故モツト頑張ツテ呉レナカツタカ」ト詰ツタ處首相ハ「豫メ富田君カ工作シテ呉レルト良カツタガ」ト云ヒ更ニ「外務省ニオ冠リヲ曲ケラレタカラ君達ハ向フヘ行ケヌカモ知レヌ君達カ之ニ關係シテ居ル事テ前ニ東條サンカラ苦情カ出タカ陸軍省ト違ツテ內閣ニハ手足カナイカラソウハ行カヌト說明シタラ東條サンハ了承シテ呉レタガ今度ハ外務省カ喧シク云ツテ居ルノテ之カラハ君達ニハヤツテ貰ヘナイタラウ外交ハ外務省ノ所管ニハ違ヒナイカ大キナ外交ハ總理カ直接ヤツテ一向差支ヘハナイ筈ダ」ト云ツテ居ラレマシタ斯樣ナ譯テ私達ノ書イタ日米間ノ協定案ハ近衞總理ノ案トシ

テ連絡會議ニ掛ケラレル筈テアツタノカ當時ノ外務省アメリカ局長寺崎太郎ノ阻止ニ遭ヒ會議ノ直前撤回ヲ餘儀ナクセラレテ遂ヒニ連絡會議ニ附セラレスニ終リ寺崎案ナルモノカ上程サレタノテアリマス

私ハ此ノ協定案ヲ九月下旬尾崎秀實ニ示シテ居ルノテアリマス

二問　被疑者ノ淨書シタ協定案ノ草稿ト云フノハ之カ

此時檢事ハ昭和十七年押第　號ノ　號協定案ト題スル文書ヲ示シタリ

答　御示シノモノカ私達ノ書イタ協定案ノ草稿テ九月六日ノ連絡會議ニ提出スル爲タイプソ謄寫刷ニカケラレタ際ノ原稿ニナツタモノテアリマス

表紙ノ一枚ハ四日タイプカ濟ンテカラ牛場ヨリ返還ヲ受ケタ時書イテ付ケ加ヘタモノテアリマス

司法省

二枚目及三枚目ノ前文ハ二日ニ其ノ前日後サレタタイプ謄寫刷ノN工作關係文書ヲ見テ書キ寫シタモノテス
四枚目以下ノ本文ハ九月一日ニ官邸テ淨書シタ時二通ヲ作リ一通ヲ總理ニ提出シ他ノ一通ヲ手許ニ殘シテ置イタ中ノ手許ニ置イタ分テアリマス
五枚目ノ第二ノ(二)ノ括孤内ハ總理ニ他ノ一通ヲ提出シタ直後自分ノ意見テ獨斷テ書キ込ンタモノテスカ二日總理官邸テ牛場ト修正シタ際牛場ノ意見ヲ容レテタイプニハ載セナイ事ニシマシタ末行ノ挿入ハ水交社テ藤井中佐ノ意見ニ依リ行ツタモノテス六枚目ノ一行目ノ削除三行目ノ字句ノ入替ヘ末行ノ赤鉛筆ノ挿入ハ何レモ水交社テ藤井中佐ノ意見ニヨリ修正シタモノ見出番號ノ付ケ替ヘハ二日ノ總理官邸テ牛場トノ相談ノ際行ツタモノテス
七枚目ノ赤鉛筆ニヨル記入ハ全部水交社テ藤井中佐ト相談シ

テ修正シタモノテ青鉛筆ノ印ハ此ノ部分カ別紙ニ書キ寫シタ
注意ノ印シテ二日官邸テ付ケタモノテス
九枚目ノ第五全部削除及第六ノ番號ノ書替ヘハ二日ノ官邸テ
ノ修正テアリマス
十枚目ノ第六項ハ二日官邸テ牛場自身書キ加ヘタモノテス
十一枚目ノ赤字ハ水交社テ藤井中佐ト共ニ修正シタモノテア
リマス
最後ノ二枚ノ別紙ハ松本カ手控ヲ持ツテ居タノテ箱根ノ不二
屋ホテルテソレニ基イテ書イタノテアリマス英語ノ部分ハ仙
石原ノ別莊テ討議シタ時近衛首相カ書類ヲ見乍ラ之ヲ讀上ケ
松本カメモニ取ツテ居タノテソレニ基イテ挿入シマシタ御示
シノ文書中前文ヲ除ケハ殆ント全部宮ノ下ノ不二屋ホテルテ起
案シタモノテアリマスカ第一項ヲ書ク時松本ハ極メテスラス
ラ云ツテ私ニ之ヲ書キ取ラセ又他ニモ同様ナ調子テ松本ノ云

フノヲ其ノ儘書キ取ツタ項目カ一、二アツタ事ヲ記憶シテ居マスカラ或ハ松本カ手帳カ何カニ書イタ既ニ出來上ツタモノヲ持ツテ居テ之ヲ讀上ケテ書キ取ラセタモノテハナカツタカトモ感シラレマス併シ右ノ第一外一、二項目及別紙並前文ヲ除イタ部分ハ私ト松本トカ二人テ文章ノ構成ヲ考ヘテ作ツタモノテ松本ノ取ツテ居タメモ以外ニハ參考ニシタ文書ヤ資料ハアリマセヌテシタ私トシテハ綜合的ナモノヲ作ラウト考ヘテ居タノテスカ此ノ案ヲ作リ上ケタ時初メテ希望通リノ案カ出來タト云フ氣持テ非常ニ愉快ヲ感シタ位テシタカラ之迄ニ起案サレタ事モナイ樣ナ全ク新シイ形ノ案カ其ノ時初メテ出來上ツタト云フ風ニ考ヘラレルノテアリマス

尚本文ノ各項目ノ見出ノ部分ハ松本カ口授シテ私ニ書キ取ラセタモノテスカ此ノ項目ノ見出丈ケニ付テハ何カ基ニナツタ文書カアツタノカモ知レマセヌ

三問　水交社並總理官邸ニ於ケル修正以前ニ其ノ草稿ヲタイプニ廻シタ事ハナイカ

答　私ノ持ツテ居タ方ノ草稿ヲタイプニ廻シタノハ二日官邸テ牛場ト修正シタ後ノ事テツレ迄ニハタイプニ廻シタ事ハアリマセヌ但シ近衞首相ノ手許ニハ別ノ立通カ九月一日提出サレテ居リマスカラ之ニ基キ修正ヲシナイ儘テ或ハ近衞首相自身手ヲ入レテタイプニ掛ケラレタ場合モ想像シ得ラレル譯テアリマス

四問　九月六日ノ連絡會議後ハドウシタカ

答　九月六日ノ外務省トノゴタゴタ後ハ近衞總理ノ外務省ニ對スル遠慮カラ案ソ内谷ニ付テハ相談ヲ掛ケラレナクナリ只折ニ觸レコチラカラ出シタ案ニ對シ米國ヨリ囘答カアツタカアレテハトウニモナラヌト云フ話ヲ首相ヤ牛場秘書官カラ聞イタ程度ニ過キマセヌ其後ハスル仕事カナクナリ一週間一囘ノ午

餐會ニハ出席シテ居マシタカ暇ナノテ自室ニ習字ノ道具ヲ持チ込ミ習字ヲヤツテ暇潰シヲシテ居タ樣ナ譯テアリマスト、近衛首相トシテハルーズベルトノ會談カ行ハレル場合ニハ此ノ會談ニ吾々ヲ連レテ行ク心組テ其ノ爲吾々ヲ立案ニモ關與セシメタモノト推察サレルノテアリマシテ此ノ首相ノ腹ハ外務省トノ縺レ後ノ首相ノ話ニヨリ覗ヒ得ラレマシタ

五

問　其ノ案ハ其後復活シタノテハナイカ

答　私ハ前述ノ通リ立案ノ仕事カラ遠去ケラレマシタノテ其後ノ事ハ良ク判リマセヌカ寺崎案ニ對スル米國ノ囘答カ思ハシクナイノテ更ニ東亞局長山本熊一ノ立案シタモノカ九月下旬ノ連絡會議ニ掛ケラレソレカ米國ニ提示サレタ事ハ知ツテ居リマスカ其後ノ經過ニ付テハ殆ント知ル處カアリマセヌ但シ山本案ハ前ノ寺崎案ニ比シ遙カニ綜合的ノモノテハアルカ尚不十分ノ處カアルトノ事ヲ牛場ヨリ聞イテ居リマス十月ニ入ツ

テカラハ近衞首相ハ非常ニ多忙テ會フ事モ稀トナリ總辭職迄ノ間ニ一回位官邸ノ日本間テ會食シタ程度ニ過キマセヌ

私達ノ立案シタ案カ復活シテ連絡會議ニ掛ケラレタカ否カハ私ニハ全ク判リマセヌカ九月六日ノ連絡會議ノ際總理大臣、外務大臣、陸軍大臣、參謀總長、軍令部總長以下大本營關係各省ノ關係部局長等ニハ内閣案トシテ一應配布サレタモノト思ヒマスカラ山本案カ作ラレル時參考ニ供セラレタ事ハアリ得ル處ト思ヒマス

私カ日米交渉ノ事ニ關係シタ當時殊ニ九月六日ノ連絡會議ノアル迄ノ間ハ内閣、外務省、陸海軍兩省トノ間ノ連絡ハ左程緊密テハナク個々別々ニ立案カ爲サレルト云フ具合テシタカ六日ノ會議以後ニ於テハ

内閣側

富田書記官長

陸軍側　武藤軍務局長

海軍側　岡軍務局長

外務省側　寺崎局長

又ハ　山本局長

カ随時集ツテ立案シテ居タ模樣テアリマス立案ノ爲ノ此ノ集カ出來タノハ結果的ニ見レハ內閣側ト外務省側トノ間ニ立案擔當ニ關シ意思ノ疏通ヲ缺イタ事ニ原因シタ如クニモ見得ラレマス

六問　所謂N工作關係ノ文書ノ內容ハ

答　N工作關係ノ文書ノ中テ私ノ見タモノハ私達ノ立案シタ協定

案ノ前文ニ引用シタ文書ノミテアリマスカ松本及井川ノ話ヲ通シテ窺ヒ得タ處テハN工作ナルモノハ日米間ノ問題ヲ個々ニ取リ上ケタバラバラノモノテアツタト想像サレマス此ノ工作ニヨク日米兩國間ニ意見ツ一致ヲ見タモノモ或ル程度アツタ様テス吾々ノ立案ニ當ツテモ此ノ工作ノ結果カ或ル程度參考ニナツタ事ハ勿論テアリマシテ仙石原ノ別莊ニ於ケル協議ノ際ニハ近衛首相ハN工作關係ノモノト思ハレル文書ヲ見乍ラ意見ヲ述ヘテ居ラレマシタシ又牛場、松本兩名モソレ以前カラ日米交渉ノ問題テ直接近衛首相ノ相談ニ預ツテ居タラシイ形跡カアリマスノテ其ノ程度ハ判リマセヌカ協定案ノ起草ニ當リN工作カ其ノ參考ニナツタ事ハ間違ヒナイ事實テアリマス但シ私ニハN工作ノ内容ノ詳細ハ判リ兼ネマス

七問　被疑者等ノ執筆シタ協定案及之ニ利用シタN工作ノ文書ノ性質ハ如何

答　N工作ハ勿論其後ノ日米交渉ハ當時ノ複雑微妙ナ國際情勢下ニ行ハレタ日本ノ極メテ重要ナ外交々渉ノ一テ其ノ内容ヲ表示スル文書ハ日本ノ國際的地位ノ上カラモ又國防上ノ見地カラモ國ノ内外ニ對シ極秘ニ付セラルヘキ性質ノモノテアリマス殊ニ協定案ハ連絡會議ニ付スル案トシテ用意サレタモノテ極メテ重要ナモノテアリマス政府トシテハ交渉ノ經過ニ付イテハ一切發表ヲ行ハス外部ニ漏レル事ヲ防キツツ極秘裡ニ交渉ヲ進メテ來テ居タノテアリマス

八　問　尾崎秀實ニ對シ協定案ヲ示シタ顛末ニ付キ述ヘヨ

答　私ハ獨ソ開戰後尾崎ト時々日米問題殊ニ日米双方ノ要求ノ重點等ニ付キ話合ッテ居リマシタ此ノ點ニ付テノ私ノ主張ハ

(一)支那問題解決ノ爲メニハ從來ノワシントン体制ヲ清算セシメル事カ先ツ以テ必要テアル事

(二)日米間ニ日本ノ南方資源獲得ノ取決メヲ為ス必要ノアル事

㈢資産凍結ハ之ヲ個別ニ取リ上ケテ解除ヲ提議シテモ駄目テ日米兩國間ニ全面的ナ話合カ出來上レハ自然解消スル問題テアル事

等テ尾崎ニ對シ此ノ意見ヲ述ヘテ居リマス

其後九月下旬尾崎カ滿洲旅行カラ歸ツタ直後ニ滿鐵東京支社カラ尾崎カ電話テ滿洲カラ約束ノ晒木綿ヲ買ツテ歸ツタト知ラセテ呉レマシタノテ私ハ早速尾崎ヲ滿鐵ノ同人ノ部屋ニ訪ネマシタ處滿洲テ手ニ入レタ晒ハ机ノ抽斗ニ入レテアリ滿洲テモ無クテ苦勞シテ二反丈ケ手ニ入レテ來タカラ一反ヲ土産ニヤルトノ事テシタカ其ノ時ハ受取ラス預ツテ貰ツテ置キマシタソレカラ私カ同人ヲ夕飯ニ誘ヒ二人テ圓タクヲ拾ツテ午後六時過頃木挽町ノ待合「桑名」ニ行キ這入ツテ左側ノ菊ノ間カ右側奧ノ離レカテ夕食ヲ共ニシナカラ尾崎ト日米交渉ノ見透シニ付キ話合ヒマシタ尾崎ハ日米交渉ノ將來ニハ悲觀的

テ米國ハ日本ヲ信用シナイカラ本腰ニ交渉ニ乘ツテ來ナイテアラウト云ヒマシタカ私ハソレニ對シテハ「歐洲戰爭ノ最中テハアルシ米國トシテハ東西兩面テ戰爭ニ入ル事ヲ避ケ度イテアラウ米國民トシテモ自國ノ主義ヲ押シ立テテ日本ヲ抑壓シヨウトスルテアラウカ本當ニ日本ト戰爭ヲスル氣ハナカラウ日本カラ根本的ナ而モ困難ナ問題ヲ持出シテ之ヲ解決シナケレハ日本トシテハ生存カ出來ナイ事ヲ判然リ先方ニ示シテヤレハ交渉ニ乘ツテ來ル可能性ハ十分アルソレニハ部分的ニ了解ノ成立チソウナ事項ノミヲ持出シテヤツテモ駄目テ最モ根本的ナ深刻ナ問題ヲ全面的ニ相手ニブツ付ケネハ駄目テアル」ト主張シ尚其ノ意味テ「交渉ノ成立スル確信ノアル案モアル」ト云ツテ置キマシタ

同夜ハ尾崎カ旅行カラ歸ツタ際テシタカラ犬養ヲモ呼バウト云フ事ニナリ多分新橋ノ待合「蜂龍」ニ居タ犬養ニ電話ヲ掛

ケテ尾崎カ歸ツテ來テ居ルカラト呼ヒソレカラ尾崎ト將棋ヲ指シ九時過頃ニ犬養カヤツテ參リ藝妓二、三名モ來テ割合ニ遲ク迄遊ンテ歸リマシタ

其ノ數日後ノ夕方總理官邸ニ尾崎カラ電話カ掛カリ滿鐵ノ「アジア」テビールテモ飲マヌカトノ事テシタカ私ハ同夜「桑名」ニ客ヲ呼ンテ居タノテ「他ニ約束カアルカラ一寸丈ケ會ハウ」ト云フト尾崎モ「僕モ約束カアルカラ一寸丈ケニシヨウ」ト云ヒマスノテ「桑名」ニ來テ貰フ事ニシマシタ私ハ其時自分ノ書イタ協定案ヲ尾崎ニ見セ様ト思ヒ自室ノ鐵製書類函ニ入レテ置イタ協定案ノ原稿ヲ出シテ鍵ノ掛カル鞄ニ入レ之ヲ持ツテ午後六時前頃ニ「桑名」ニ行キ菊ノ間テ待ツテ居ルト間モナク尾崎カ來マシタソコテ窓側ノベランダ式ノ椅子トテーブルノ置イテアル處テ椅子ニ掛ケ乍ラ尾崎ト二人丈ケテツマミ物テ酒カビールカノトチラカヲ飲ミ始メマシタ其ノ

際私ハ持ツテ來タ鞄カラ先ノ原稿ヲ出シテ「此ノ間話シタ案タ」ト云ツテ渡スト尾崎ハ之ヲ受取リ椅子ニ掛ケタ儘テ上半身ヲ後方ニ寄リ掛ケ作ラ一枚一枚繰ツテ讀ンテ居リマシタ私ハ尾崎カ未タ讀終ラヌ中ニ「ドウカネ」ト意見ヲ聞クト尾崎ハフンフント云ツタ丈ケテ贊成テアルトモナイトモ云ハス首ヲ左右ニ振ツテ多少悲觀的ナ素振リヲシテ居リマシタ其ノ中ニ女中カ客ノ來タ事ヲ告ケニ來マシタノテ尾崎ハ急イテ讀ミ終リ私ニ返シソレテハ失敬スルト云ツテ客ト入レ違ヒニ立去リマシタ

此ノ時呼ンテアツタ客ハ判然シマセヌカ尾崎ニハ未知ノ人テアツタト思ヒマス若シ知ツタ仲ナラハ尾崎カ急イテ歸ル道理モナク又私トシテモ歸ルノヲ止メタ筈テスカソウイフ記憶ハ全クナイノテ左樣ニ思ハレルノテアリマス客ト云フノハ或ハ佐賀縣人テ大村灣テ眞珠ノ養殖ヲシテ居ル高島末五郎氏テ私

ノ妻松崎雪江モ一緒ニ來タノテハナカツタカトモ思ハレマス
尙「桑名」テハ其ノ際尾崎ト一緒ニ食事ヲシタ記憶ハアリマセヌ
協定案ノ原稿ハ尾崎ヨリ返シテ貰ツタ時客ノ來ヌ中ニ鞄ニ收メ同夜丸山町ノ自宅ニ持チ歸リ私ノ部屋ノ和机ニ鍵ヲ掛ケテ入レテ置キマシタカ十二月六日ヨリ八日ニカケテ千駄ケ谷ニ轉宅スル際荷物ノ一部ヲ明石町ノ家ニモ運ヒマシタノテ其ノ原稿ヲ其ノ中ニ入レテ明石町ノ家ニ運ヒ整理ノ時二階座敷ノ茶簞笥風ノ戶棚ニ入レテ置キマシタ

九問

「桑名」テハ尾崎及松崎雪江ノ三人テ夕食ヲ共ニシタノテハナカツタカ

答

左樣テハナカツタト思ヒマス
同夜ノ客二人ノ中ノ一人ハ松崎雪江テアツタ樣ニモ思ハレマスカ尾崎ハ松崎ヤ今一人ノ客ノ來ル前ニ部屋ヲ出テ行ツタノ

テ一緒ニ食事ハ致サナカツタト思ヒマス

十問　何故尾崎秀實ニ協定案ノ原稿ヲ呈示シタノカ

答　私ハ支那問題ニ限ラス廣ク國際問題ニ付常ニ尾崎ト話合ヒ之等ノ問題ニ付同人ノ才能ニ少ナカラス期待ヲカケテ來タ事ハ之迄ニ述ヘタ通リテアリマス殊ニ日米問題ニ付テ尾崎カ悲觀的テアツタニ反シ私ニハヤリ方ニヨツテハ交渉ヲ妥結ニ導ク事カ出來ルトノ自信カアリ其ノ點ニ付キ尾崎ト議論モシタノテスカ其ノ頃ハ私ノ考ヘトハ違ツタ行キ方テ現ニ交渉カ進メラレテ居ル樣ニモ見受ケラレマシタカラ旁々自分ノ書イタ案ヲ見セテ尾崎ヲ説得シ同人ニモツト日米交渉ニ積極的ニナツテ貰ヒ度イト考ヘテ見セタノテアリマス當時尾崎ハ内閣トハ何等關係ハナク從ツテ日米交渉ニハ直接ニモ間接ニモ關與シテ居リマセヌテシタ只友人トシテ私、牛場、松本等ト日米問題ニ付キ意見ヲ述ヘ合ツテ居タニ過キマセヌ

十一問　其ノ他ニ尾崎秀實ト話合ツタ事柄ハナイカ

答　私ト尾崎トハ極メテ親シイ間柄テシタカラ色々ナ事ヲ話合ツテ居ルト思ヒマスカ其ノ中テ記憶ニ在ル主ナルモノヲ申述ヘマス

第一、昭和十三年七月張鼓峰事件ノアツタ當時私ハ牛場ヲ通シテ近衛公カラ日ソ關係ヲ如何ニスヘキカニ付諮問ヲ受ケマシタ私ハ漁業條約ニシテモ暫定的ナモノテアリ越境問題モ屢々テアルカラ日本トシテハ大キナ立場カラ全面的ニ廣イ協定ヲ結ブ方針カ良イト思ヒ牛場ヲ通シテ近衛公ニ其ノ旨進言シマシタカ尾崎ニ對シテモ同様ノ意見ヲ述ヘテ置キマシタ尾崎ハ一應贊意ヲ表シテハ居マシタカソレニハ非常ニ困難カ伴フテアラウト云ヒ此ノ方式ニハ餘リ期待ヲカケラレヌトノ考ヘ方テアツタ様ニ見受ケラレマシタ第二、昭和十五年六月新体制問題カ喧シクナッタ頃私ハ尾崎ニ青年層ノ大同團結ノ必要ヲ説イテ贊同ヲ求メタ處同人ハソレハ面白イカラ君カヤルナラ僕モ手傳フト云ッテ私方ニ青年達カ集ッタ時二度丈ケ來テ呉レマシタカ其ノ後ハ來ナクナリ差程熱意ハ示シテ呉レマシタ

第三、支那問題ニ關シテハ屢々各種ノ問題ニ付キ尾崎ト話合ッテ居リマス蘆溝橋事件ノ起ッタ時私ハ擴大不擴大ニ付キ尾崎ト論議シマシタ尾崎ハ事件ハ日支ノ全面的衝突トナリ戰爭ニ迄發展スル可能性カアルトシテ居リマシタ私ハ事件勃發ノ直後上海ノ狀況ヲ探リニ行キマシタカ歸京後尾崎ニ上海ノ狀況トシテ

(一)日支間ノ問題ハ歴史的ノ對立關係ニ原因シテ居ルカラ今一應局地的解決カ出來テモ又紛爭カ繰リ返サレ一度ハ全面的ニ衝突シナケレハ事ハ解決シナイト云フ徐眞

六等ノ悲觀論

(二)當時局地解決ノ暗礁ト見ラレタ滿洲國ノ支那側承認ッ問題ニ付キ

滿洲國ノ承認ハ蔣介石政權ニ取ッテハ非常ニ難カシイ事テハアルカ事件カ全面的ニ擴大スレハ支那ニハ大キナ犧牲テアルカラ支那ノ政治家モ事件ノ解決ニ大キナ責任ヲ感シ努力スル可能性ハアル而モ問題ノ滿洲國承認ハ今直ニ文書ニ依ッテ行ハナクトモ事實問題トシテ政治的ニ解決シ得ル可能性ハ多分ニアルカラ事件ノ解決ニ努力シヨウト云フ宋子文、周作民等ノ有望論、、ノアル事ヲ話シマシタ

尾崎ハ事變カ擴大シテ以來ハ常ニ

「支那ハ半封建性半植民地性ヲ大キナ要素トシタ國テアルニ對シ日本ハ極度ニ近代化シタ國家テアルノニ日本

ノ爲政者ハ支那ヲ自國ト同シニ見テ之ト戰爭ヲシテ居ルカ之ハ非常ニ誤リテアル支那ハ鵺性ヲ持ツテ居ルカ之ヲ見極メテカラカカラネハ危險テアル半植民地的性格カラ對支關係ニ複雜ナ國際問題ヲ惹起セシメル虞レカ多分ニアリ又半封建的性格カラハ例ヘハアメーバノ如ク切リ取ラレタ處ハ其ノ儘テ生キテ居ルカラ日本トシテハ追ヒ詰メ追ヒ詰メシテモ際限カナクナル從ツテ良イ機會ヲ提ヘテ事件ヲ片付ケル樣ニシナイト非常ニ危險カ伴フ」

トノ意見ヲ述ヘ又南京陷落前ニハ

「南京迄行ツテ仕舞フト益々支那ハ硬化スルカラ南京城下ノ盟迄持ツテ行カスニ大乘的見地カラ陷落ノ直前ニ大キナ手ヲ打ツカ良イ詰リ日本カ支那ヲ侵略スルト云フ建前カラテハナク日支協力ノ建前カラ話合フノカ良

策テアル」
ト主張シテ居リマシタ私ハ同人ノ意見ニ賛成テシタカラ各方面ノ人ニ此ノ意見ヲ述ヘ近衛首相ニモ進言シ又同盟ノ岩永氏ニモ屢々話シテ居リマス
南京陷落トナリ此ノ考方ハ行ハレナクナリマシタカ併シ引續イテ武漢カ歴史的ニ見テ大切ナ處テアリマスカラ武漢三鎭ノ政略ノ前ニモ同樣ナ事ヲ問題トシ殊ニ武漢ヲ取リ逃カセハ斯樣ナ契機ハナイノテ此ノ考ヘヲ強ク主張シ近衛公ヤ岩永氏ニ此ノ意見ヲ具申致シマシタ但シ武漢モ攻略サレ其後ハ此ノ方式ハ全ク駄目ニナリマシタ
其後ハ尾崎トノ議論ノ中心ニ蔣介石政權ト中國共産黨トノ關係テアリマシタ
尾崎ハ
「共産黨軍ハ必ス大キクナリ蔣政權ハ早晩手ヲ打ッテ中

共ト一緒ニヤラネハナラナクナルテアラウ日支戰爭ヲ通シテ中共ハ其ノ地歩ヲ獲得シテ行クテアラウ之ハ蔣介石ニ取ツテモ辛イ處テアルカ日本ニ取ツテモヤリ難イ事テアル」

ト主張シテ居リマシタ

汪兆銘工作ニ付テハ尾崎ハ最初ハ氣乘薄テシタカラ同人ニハ餘リ話シマセヌテシタカ武漢陷落後私ハ尾崎ニ「支那ニ日本ト協力スル政權ヲ樹立シ之ヲ契機トシテ其ノ政權ヲシテ蔣介石及其ノ一聯ノ者其他ト話合ヲサセテ日本トノ協力關係ニ導クヘキテアル」ト述ヘタニ對シ尾崎ハ

「方式トシテ左樣ナ形ハ成リ立ツカモ知レヌカ事實問題トシテハ第一ニ支那全体ヘ力強ク呼ヒカケ而モ效果ノアル樣ナ有力ナ者ハ出テ來ナイ殊ニ戰爭ノ過程ニ於テ支那ノ民族統一ハ抗日ヲ旗印トシテ蔣介石ノ手ニヨリ

着々進メラレテ居ル蔣ハ一種ノ民族的英雄トナリツツアル蔣ヲ向フニ廻シテ立チ得ル人物ナリ團体ナリハ考ヘラレナイ蔣政權ニ對立スル政權ヲ作ッテ見テモ日本ノ從來ノ行方ヲ見ルト斯ル政權ハ一種ノ謀略ノ對象トシテ考ヘラレツレカ大キク發展スル樣ニハ日本トシテハヤラセナイテアラウ」

ト云ヒ尚私ハ

「ソウカト云ッテ支那全体ヲ武力丈ケテ抑ヘテ之ヲ經營シテ行ク事ハ到底考ヘラレナイシ又蔣介石ト直接交渉スル事モ今ノ時期トナッテハ考ヘラレナイカラ大乘的ナ見地カラ政權ヲ樹テル事カ國内テ了承サレルナラハ此ノ政權カ成立後歪曲サレタリ無力ニナッタリスルト云ハスニモット積極的建設的ニ此ノ考ヘ方ノ實現ニ努力スルノカ吾々ノ義務テアル」

ト強調シ同人ノ協力ヲ求メルニ努メマシタ
右述ヘタ通リテ尾崎ハ汪兆銘工作ノ初期ニハ此ノ工作ニハ懐疑的テシタカ犬養等ノ努力ノ結果次第ニ相當協力的ナ態度ヲ見セル様ニナリマシタノテ犬養モ同人ヨリ種々其ノ智慧ヲ借リテ居タ様テアリマシタ
私ハ汪兆銘工作ニ付テハ尾崎ト屢々話合ツテ居ルノテ其ノ間私ノ方カラモ色々ナ事ヲ話シテ居ルニ違ヒナイト思ヒマス私カ此ノ工作ニ關係ヲ有スル様ニナツテカラ知リ得タ事ヲ尾崎ニ話シ又先方カラモ色々ナ意見ヲ述ヘテ居ルニ相違アリマセヌカ私ノ方カラ具体的ニ如何ナル事項ヲ話シタカ只今ハ記憶ニアリマセヌ
第四、昨年三月松岡外相ニ隨行シテ歐羅巴訪問ノ途ニ登ル直前満鐵東京支社テ尾崎ニ會ツタ時同人ヨリ松岡外相ノ訪歐ノ使命ニ付テ聞カレマシタカラ私ハ松岡外相ヨリ聞イタ

處ニ基キ
「外相ハ三國同盟調印後リッペントロップカラ頻リニ來イト云ッテ來テ居ルカラ儀禮的ニ行クノタカ世界ノ變動期ニ於テ歐洲ノ大立物テアルヒットラー、リッペントロップ、スターリン、ムッソリニー等ト會ッテ相手カドンナ人物カ見テ來ルノカ目的テアッテ他ニ特別ナ使命ヲ帶ヒテ行クノテハナイ」
ト云ッテ置キマシタ
私ハ歸朝直後尾崎ニ會ッテ見テ來タ歐洲情勢等ヲ話シテ居リマスカ其ノ中テ記憶シテ居ルノハ
(一)ヒットラー、リッペントロップ、ムッソリニー、チアノ、スターリン、モロトフ等カラ受ケタ印象
(二)獨逸ハ若イ人ヲ非常ニ重ク用イテ居ルニ引キカヘ伊太利ハ日本ト同シ様ニ相變ラス老人カ重セラレ日本ノ狀

態ヲ思ハセルモノカアルコト

(三)獨逸トソ聯トハ戰端ヲ開ク事ハナカラウ印象トシテハソ聯側ハ獨逸ヲ恐レテ居ルカ如ク見受ケラレタ從ツテソ聯ハ獨逸トノ戰爭ヲ避ケル爲相當大キナ讓歩ヲスルノテハナカラウカ其ノ理由ノ一ニハソ聯ノ重工業ハ未タ遲レテ居ル樣ニ感セラレタ等ノ事

(四)獨逸ハバルカンヲ政治的ニ無血テ抑ヘル計畫テアツタカユーゴーニクーデターカ起キタ爲武力ニ依ラサルヲ得ナクナツタモノテ獨逸側カラスレハ計畫上ノ一ノ齟齬テ從ツテバルカン作戰ハ形ノ上テハ成功ノ如ク見ヘルカ事實ハ獨逸ノ計畫ニハ合致セヌモノテアツタ事

(五)歸朝ノ車中テ松岡外相ヨリ斷片的ニ聞イタ處ニ基キ縣
松岡外相トシテハ日ソ中立條約ヲ契機トシテ日ソ間ノ懸案ヲ一氣ニ解決スル意圖テアツタ事

日本標準規格B4號

テアリマス

十二問　之等ノ文書ハ
此ノ時檢事ハ昭和十七年押第　　號ノ　　號　　號及
號ヲ示シタリ

答　御示シノ便箋ハ昨年七月上旬執筆シタルモノテ私ノ意見ヲ近衛公ニ具申スル目的テ取纏メニカカツタノテスカ中途テ抛棄シタ爲完結ヲ見ナイ儘ニナツテ居ルノテアリマス
御示シノ手帖ノ二十枚目及二十一枚目ニ日米交渉ニ關スル事カ書イテアリマスカ之ハ昨年八月下旬頃自分ノ思ヒ付キヲ心覺ヘノ爲書キ込ンテ置イタモノテアリマス
御示シノメモハ昭和十五年三月南京ニ旅行シタ時使用シタモノテ其ノ中ニハ汪兆銘ヨリノ近衛公ニ對スル傳言ノ要旨モ記載サレテ居リマス

十三問　今回ノ事件ニ付テノ感想ヲ述ヘヨ

答

私カ從來如何ナル心構テ政治問題ニ關心ヲ持チ之ニ關與シテ來タカト云フ事又將來ヲ考ヘ如何ニ自分ノ交友關係ヤ行動ヲ律シテ來タカト云フ事ハ之迄ノ供述或ハ私ノ手記カラ御酌ミ取リ願ヘルト存シマスカ此ノ度ノ如キ大失態ヲ致シマシタ事ハ私ノ國家ニ對シテ貢獻シ度イト云フ熱意ノ迸リカラトハ申セ洵ニ至ラヌ私ノ不明、輕卒カラ起リマシタ事テ上ハ至上ニ對シ奉リ何トモ申譯ナク又國家ニ對シ家門、先輩、朋友ニ對シテ洵ニ相濟マヌ限リト存シ責任ヲ痛感シテ居リマス

私ノ現在ノ唯一ノ希望ハ今日迄私ノ成長ト共ニ私ノ胸ノ中ニ書キ出サレテ來タ途ニ於テ鴻恩ノ萬分ノ一ニ應ヘ奉リ國家ニ貢獻シテ此ノ度ノ大失態ノセメテモノ償ヒヲ及ハスナカラ是非サセテ頂キ度イト云フ一事ノミテアリマス私ハ其ノ爲ニ今後一層自ラヲ練磨スル事ニ努力シ此ノ度ノ樣ナ失態ハ決シテ繰リ返シ度クナイト反覆自戒シテ居ル次第テアリマス尙尾崎

ニ對スル感想ヲ申上ケマスナラハ私ハ過去數年間ノ交友關係ニ於テ尾崎ノ立派ナ人柄ト豐ナ才能トヲ非常ニ高ク評價シ尊敬ト信頼ノ念ヲ抱キ現在及將來ニ於テ及ハス乍ラ國家ノ御役ニ立ツ爲ノ最モ良イ協力者ノ一人ト常ニ考ヘテ參リマシタ處カ此ノ度尾崎カ國家ニ對シ許スヘカラサル罪ヲ犯シテ居タ事ヲ承知シ洵ニ驚愕致シ大キナ公憤ヲ感シテ居ル次第テアリマス私ハ終始尾崎ニ欺サレテ來タ樣ナ結果トナツタノテアリマスカ此ノ事ニ關シテハ尾崎ヲ責メルヨリモ先ニ先ヅ私自身ノ不明ヲ責メナケレハナラナイト存シテ居リマス尾崎ノ犯シタ罪ハ罪トシテ私ハ今テモ尾崎カ多分ニ持ツテ居ル人間ノ良サト其ノ才能ヲ惜シムモノテ何トカシテ尾崎ヲ善良ナル日本人トシテ更生サセ是非國家ノ爲ニオ役ニ立ツ人間ニナラセ度イト衷心カラ希フモノテアリマス

被疑者　西園寺公一

右讀聞ケタルニ無相違旨申立署名拇印シタリ
前同日　於東京拘置所
東京刑事地方裁判所檢事局
裁判所書記　吉岡三郎
檢事　玉澤光三郎

第二回被疑者訊問調書

被疑者　宮城與徳

右者ニ對スル治安維持法並國防保安法違反被疑事件ニ付東京刑事地方裁判所檢事井本臺吉ノ命令ニ因リ昭和十六年十月二十六日築地警察署ニ於テ司法警察官警部補拓植準平ハ司法警察吏巡査依田哲立會ノ上右被疑者ニ對シ訊問スルコト左ノ如シ

一、問　被疑者ノ犯罪ノ前歴如何

答　私ハ今迄ニ犯罪ニ依リ處刑サレタ事ハアリマセン

二、問　被疑者ノ共產主義信奉過程ノ概略如何

答　私ハ大正九年渡米後大正十二年ロスアンゼルスアーテストリーグ（繪畫研究所）ニ入所シタ頃ヨリフランス革命ニ參加シタ優レタ畫家「ドーミエ」ニ心醉シ次イデロシヤ文學ニ興味ヲ持チマキシムゴーリキーヤトルストイノ作品ヲ耽讀無政府主義思想ヲ持ツニ至リ更ニ共產主義者

福永零人

ハーバック、ハリス（ソ聯）

等ト交遊スルニ及ビ共産主義ヲ信奉スルニ至リマシタ。

三、問　被疑者ノ共産主義運動經歴ノ概要如何

答　昭和二年頃アメリカ共産黨日本人部ノ外廓團体タル文化團体

プロレタリヤ藝術會赤色救援會日本人支部ニ黨員

（米國共産黨）

吉岡某

ノ勸誘ニ依リ入會致シ次デ昭和四年頃アメリカ共産黨日本

人部員

矢野某（武田トモ稱ス）

ノ勸誘ニ依リ同黨日本人部ニ加盟黨員トシテ諸種ノ會合ニ

出席スル等共産主義活動ヲ致シマシタ。

四、問　被疑者ガ今次諜報活動ヲ爲スニ至リタル經過ノ概要如何

答

昭和七年末頃「サンフランシスコ」ニ居住シテ居タ「コミンテルン」ノ組織者タルアメリカ共産黨員

矢　野　某（武田トモ稱ス）

ガ突然私ノ住居ニ國籍ハ不明デジダガ白人ノ「コミンテルン」ノ男ヲ一人同道シテ來テ「サンタモニカ」海岸ヲドライブシ乍ラ矢野ハ「君ハ東京ニ歸ツテ呉レ君ノ仕事ハ東京ニ行ケバ判ル」ト云ヒマシタノデ私ハ之レヲ承諾致シマシタ。

私ハ其ノ後旅費ヲ作ル目的デ個人展覽會ヲ開キ又ハ兄與整ヨリ旅費トシテ若干ノ金ヲ貰ヒ昭和八年十月末サンピドロ港ヨリぶええねすあいれす丸ニ乗船同年十一月末横濱港ニ入港皈國致シマシタ歸國ノ直前

矢　野　某

ヨリ歸國ノ使命トシテ「君ガ東京ニ着イタ頃ノジヤパンアドバタタイザーニ浮世繪買入レタシト云フ廣告ガ出ルカラ其ノ廣告ヲ出シタ廣告社ニ行キ廣告主ニ會フ様取計ツテ貰ヒ其ノ人ニ會ツ

タラ「マックス」サンデスカト訊ネタラ判ル筈ニナッテ居ル」云々ト連絡方法ヲ指示シテ旅費トシテ二百米弗ヲ貰ヒマシタ、ソシテ其ノ仕事ハ約一ケ月位デ終ルカラ飯米スル様ニト言ハレマシタ。

然シテ昭和八年十一月中旬東京ニ來テジャパンアドバタイザーヲ注意シテ居リマスト

矢野某

ノ言ッタ通リ「浮世繪買入レタシ」トノ廣告ガ出マシタノデ其レカラ三日目位ニ神田區錦町河岸ノ某廣告社ニ行キ其處ノ事務員ニ廣告主ニ面會方ヲ依頼シマシタ、數日後其ノ廣告社ニ於テ一人ノ外國人ニ會フ事ガ出來マシタノデ私ハ其ノ人ニ對シ私ハ「マックス」サンデスカト訊ネマスト同人ハ「自分ハマックスデハナイガ君ガ會イタイト云フマックスニハ上野公園ノ美術館前デ會フ事ガ出來ル彼ハ青イネクタイヲシテ居ルカラ君ハ黒ネクタイヲシテ行ク様ニ」ト指示シ其ノ連絡ノ日時ヲ指定サレテ別レマシタ。
指定サレタ同年十一月下旬上野美術館前ニ於テマツクスト稱ス
ル男ト連絡カツキマシタ、其ノ時ハ別段話ハナク美術館ニ入リ
繪畫ノ觀賞ヲシテ次ノ連絡場所日時ヲ約シテ別レマシタ。

五問　被疑者ガ廣告社ニ於テ會ツタ外人ハ此ノ寫眞ノ男デアルカ
（此ノ時司法警察官ハブランコヴーケリツチノ寫眞ヲ被疑者ニ
稱ス）

答　其ノ男ニ相違アリマセン、私ハ此ノ男ヲ「ヤングブエロー」ト
呼ンデ居リマシタ。

六問　被疑者ガ上野美術館前ニ於テ連絡シタ外人ハ此ノ男カ。

六問　（此ノ時司法警察官ハゾルゲノ寫眞ヲ被疑者ニ示ス）

答　其ノ男ニ相違アリマセン、其ノ男ハ當時マツクスト呼ンデ居リ
マシタガ後ニ非合法的連絡ヲスル様ニナツテ「スミス」ト云フ
連絡名ヲ作リ使ツテ居リマシタガ昭和十五年頃ヨリ同人ノ自宅
麻布區長坂附近ニ行ク様ニナツテカラ「ゾルゲ」ト云フ本名ヲ

知リマシタ。

七、問　被疑者ガゾルゲト連絡シ今次諜報活動ヲ爲スニ至ツタ時期ハ何時頃カ

答　私ハ「ゾルゲ」ハコミンテルンノ人デアルト云フ事ヲ信ジテ屢々連絡ヲ取ツテヰル内翌昭和九年一月頃ニナツテ同人カラ日本ニ居テ仕事ヲスル様ニ云ハレマシテ承諾シマシタ、其ノ間同人ヨリ適當ナ青年卽チ社會的ニ相當ナ地位ノアル人デ當局カラ注意サレテ居ナイ人ヲ紹介スル様ニ云ハレマシタガ適當ナ人ヲ發見スル事ガ出來ズ遂ニ私ガ「ゾルゲ」ノ指圖ニ從ヒ各種ノ情報ヲ探知蒐集シテ之レヲ同人ニ提供スルト云フ重大任務ヲ擔當スルニ至リマシタ勿論「ゾルゲ」ハコミンテルンノ男テアルノデ私ガ集メタ情報ハ當然コミンテルンニ通報サレタル事ハ考ヘテ居リマシタ大体此ノ時期ハ昭和九年一月頃カラデアリマス。

八、問　被疑者ノ今次「ゾルゲ」一派ノ諜報團体ニ對スル認識ノ概要如何

答　詳細ハ後日申シ上ゲマスガ「ゾルゲ」一派ノ諜報團ノ目的ハ共産主義者トシテソヴエート聯邦擁護ノタメコミンテルンノ必要トスル主トシテ日本其ノ他ソヴエート聯邦ヲ除ク各國ノ政治經濟、軍事、社會状勢等各項ノ情報資料ヲ探知蒐集シ之レヲコミンテルンニ通報スル事ニアルノデアリマス。

九、問　被疑者ガ關係スル今次諜報團体ノ組織並連絡方法ノ概要如何

答　其ノ詳細ハ追ツテ申シ上ゲマスガ概要ヲ述ベマスト中心分子ハ

ゾルゲ

デ其ノ周圍ニ

ヤングフエローー

マツクス

私（宮城與徳）

尾崎秀實

ノ四人ガ居リ

ヤングフエローー

ハ集メタ情報資料ノ寫眞事務ヲ擔當シ

マツクス

ハコミンテルンニ送ル情報ノ發信乃至指令ノ受信ヲ擔當シ

私（宮城與徳）

及ビ

尾崎秀實

ハ各種情報資料ノ探知蒐集ニ當ツテ居リマス私ヤ尾崎ノ集メタ情報ヤ資料ハ

ゾルゲ

ガ取捨選擇シテ之レヲコミンテルンニ送ツテ居リマシタ、其ノ他ニ私ガ情報資料ノ英譯ヲ手傳ハシタ男ニ

秋山幸治

ガアリマスガ此ノ男ハ諜報團ノグループ外デアルト考ヘラレマス

其ノ連絡方法ハ

私（宮城）對ゾルゲ

ハ昭和八年十一月初メテ會ツタ時カラ昭和十五年秋頃マデハ十日乃至二十日間ニ一回位ヅヽ銀座八丁目喫茶店資生堂、不二家喫茶部、上野公園下料理屋山下同鳥なべ等喫茶店料理屋等デ連絡シテ居リマシタガ昨昭和十五年秋頃以降ハ外人ニ對スル取締ノ強化ニ伴ツテ危險ヲ感ジタノデ同人ノ自宅（麻布區長坂附近）ヲ使用シテ大体十日間ニ一回位訪問シテ居リマシタ此ノ連絡ハ定期的デナク連絡ノ都度次ノ連絡日時場所ヲ決メテ居リマシタガ

ゾルゲ

ガ事故ニ依リ連絡ヲ切ツタ時ハ

ヤングフェロー

ヲ通ジテ私ト

ゾルゲ

ノ連絡ヲ回復シテ居リマシタ。

更ニ

私（宮城）對尾崎秀實

ノ連絡ハ同人ガ昭和九年末東京朝日新聞社ニ轉勤シテカラハ大体

一ケ月ニ一回位東京朝日新聞社ニ電話ヲカケテ呼出シ銀座附近ノ

喫茶店又ハ畫廊等デ會ツテ居リマシタガ昭和十四年末頃カラハ同

人ノ自宅目黒區中目黒祐天寺附近デ會ツテ居リマシタ。

尙以上申上ゲマシタ各項ハ極メテ概略デアリマスカラ詳細ハ後日

申シ上ゲマス

陳述人　宮城與德

右讀ミ聞ケタル處相違ナキ旨申シ立テ署名拇印シタリ。

即日　於築地警察署

警視廳特別高等警察部特高第一課

司法警察官

警視廳警部補　拓植準平

司法警察吏

警視廳巡查　依田哲

第三回被疑者訊問調書

被疑者　宮城　與德

右者ニ對スル治安維持法並國防保安法違反被疑事件ニ付東京刑事地方裁判所檢事井本臺吉ノ命令ニ因リ昭和十六年十月二十七日築地警察署ニ於テ司法警察官警部補拓植準平ハ司法警察吏巡査舟生總立會ノ上右被疑者ニ對シ訊問スルコト左ノ如シ

一、問　被疑者ノ今次諜報活動ノ概要如何

答　私ノ諜報活動ハ昭和九年一月頃ヨリ現在迄續イテ居リマス其ノ内容ハ

ゾルゲ

ノ命ニ依リ主トシテ日本ノ

政治情勢

社會情勢

軍事情勢

経済情勢

其ノ他ノ情報資料ノ探知蒐集デアリマス之等ノ情報資料ハ自分ガ
直接巷間ノ談話並ニ各種ノ出版物等ヨリ探知シ又ハ類推シテ報告
書トシテ

ゾルゲ

ニ渡シテ居リマシタガ尚其ノ他

喜屋武保昌
山名正實
小代好信
高倉テル
九津見房
川合貞吉
水野成
篠塚虎男
徳田正次
菊地一郎

北林トモ
田口右源太
尾崎秀實
ゾルゲ
等ノ人々ヨリ探知シ夫レヲ
ニ報告シテ居リマシタ、其ノ報告シタ内容ヲ年度ヲ追ツテ申シ上
ゲマスト
昭和九年中ハ
(一) 日本ノ一般社會狀勢
(二) 日本ノ對ソ攻擊準備情況
等
昭和十年中
(一) 日本ノ一般社會情勢
(二) 日本ノ政治情勢
等

昭和十一年中
(一) 軍部特ニ陸軍ノ人的關係
(二) 滿洲國ノ治安狀況
(三) 日本ノ一般社會情勢
(四) 步兵操典其ノ他軍事關係資料ノ提供
(五) 二、二六事件及同事件ニ伴フ日本國內情勢ノ變化
(六) 日本ノ一般的政治、經濟、社會情勢
等
昭和十二年中
(一) 日本ノ一般的政治、經濟、社會情勢
(二) 支那事變勃發後ニ於ケル國內情勢ノ刻々ノ推移、特ニ支那事變處理ニ關スル日本ノ最高方針
等
昭和十三年中
(一) 日本ノ一般的政治、經濟、社會情勢

㈡　張鼓峰事件ノ各種状況

等

昭和十四年中

㈠　日本ノ一般的政治經濟社會情勢

㈡　日本軍部ノ動向

㈢　支那奥地及南方ニ對スル軍事行動ニ關スル軍部並ニ政界上層部ノ意嚮

㈣　銃後國民ノ一般動向

㈤　京阪地方ニ於ケル織物業者ノ窮迫状況及同方面ノ食糧需給状況

等

昭和十五年中

㈠　日本ノ一般的政治、經濟、社會狀勢

㈡　支那派遣軍ノ兵力量

㈢　農村ニ於ケル生活窮迫状況

(四) 食糧不足狀況

(五) 滿洲ニ於ケル石炭採掘狀況

等

昭和十六年中

(一) 日本ニ於ケル一般的政治、經濟、社會情勢

(二) 滿ソ國境及ビ樺太方面ニ於ケル兵力配備狀況

(三) 昭和十六年八月付滿鐵東京支社發行ノ「新情勢ノ日本政治經濟ニ及ボス影響調査」

(四) 南方問題ニ對スル日本ノ政治指導部ノ動向等デアリマス、

更ニ申シ遲レマシタガ昭和九年五月頃

ゾルゲ

カラ何處カデ連絡シタ時ニ「自分ガ上海デ會ツタ事ノアル東京朝日新聞カ東京日々新聞ノ特派員デアツタ尾崎某ヲ探シテ自分ニ會ハブカドウカ探ツテ見テ呉レ」云々ノ意味ノ事ヲ命ゼラレマシタ、其處デ私ハ東京朝日新聞社ニ行ツテ調査シマシタガ判ラヌノデ大

阪市ニ行キ大阪毎日新聞社ニ訪ネ調ベタ處大阪朝日新聞社ニ記者トシテ在社スル事ガ判ツタノデ直チニ同社ニ行キ私ハ假名

南　龍　一

ノ名刺デ面會ヲ求メマシタ、恰度

尾　崎

ガ在社シテ居テ會ツテ呉レマシタノデ應接室デ約十五分位ノ間ニ私ハ

ゾ　ル　ゲ

ノ名前ハ告ゲズ「貴方ト上海デ知合ヒノ外人ガ會ヒタガツテ居ルガ會ツテ呉レマセンカ」ト云ヒマシタ處同人ハ誰ノ事カ判ラヌ樣ナ態度ヲ示シマシタノデ更ニ「背ノ高イ外人デ貴君ノ奥サンノ事モオ懷サンノ事モヨク知ツテ居ル人ダ」ト付加ヘマスト同人ハ思ヒ出シタラシク「其ノ事ナラ今一度會イタイ」トノ事デアツタノデ同日夕刻大阪朝日新聞社附近ノ料亭白蘭亭デ食事ヲ共ニシ乍ラ其ノ事ヲ話シ合ヒマシタガ同人ハ余リ氣ガ進マナイ樣子デアリマ

シタガ兎ニ角明日自宅ニ來テ吳レト云フ事デアツタノデ偕カ翌日ノ日曜日ニ敎ヘラレタ阪神沿線ノ芦屋附近ノ尾崎方ヲ訪ネ重ネテ話シタ結果同人ノ承諾ヲ得タノデアリマス、ソシテ連絡場所及日時ハ同人ト話シ合ヒニ依リ數日後奈良公園帝室博物館脇ト定メ私ハ直チニ辭去シテ卽日皈京シテ場所ハ忘レマシタガ豫テ約束シテ置イタ場所デ

ゾルゲ

ニ復命致シマシタ

ゾルゲ

ト

尾崎秀實

ノ連絡ハ其ノ時ニ復活シ現在迄繼續サレテ居ルノデアリマス

二、問　被疑者ノ今次諜報活動ノ報酬並ニ費用等ノ資金關係如何

答　昭和九年一月私ガ

ゾルゲ

ノ指圖ニ依リ各般ノ情報資料ノ探知蒐集ノタメ活動スル様ニナッテ
テカラ別ニ報酬トシテ
　　ゾルゲ
ヨリ金品ヲ受取ッテ居タ事ハアリマセンガ諜報活動ノ費用トシテ
必要ノ都度私カラ
　　ゾルゲ
ニ要求シテ受取ッテ居リマシタガ其ノ額ハ昭和九年一月以來大体
一ケ月二百圓前後デアリマス、之レハ一定シテ居ル譯デハナク
　百圓、二百圓、三百圓
等ト其ノ都度額ハ違ッテ居リマシタ、最後ニ受取ッタノハ昭和十
六年十月六日
　　ゾルゲ
ノ自宅デ同人ヨリ
　百圓
ヲ受取リマシタ、昭和十四年一杯頃マデハ私ガ繪畫ノ製作ニ依ッ

テ得ル收入ニ依ツテ生活費ニ充當シマシタガ、昭和十五年頃ヨリハ繪ノ賣レ口モ少ナクナリ

ゾルゲ

ヨリ受取ル活動費ノ一部ハ私ノ生活費ニモナツテ居リマス其ノ外

尾崎秀實

カラ時ニ多少ノ融通ハ受ケタ事ハアリマスガ之レハ其ノ都度返濟シテ居リマスノデ特ニ活動費ヲ受取ツタ事ハアリマセン、其ノ外私ガ情報蒐集ノ目的ノタメ生活費ノ一部ヲ援助シテ居タ者ニハ

小代好信

川合貞吉

山名正實

秋山幸治

等ガアリマス、之レハ特ニ纏ツタ額デハアリマセンガ十圓乃至五十圓位ノモノデアリマス

三、問　外ニ何カ云フ事ハナイカ。
答　別ニ何モ言フ事ハアリマセン
陳述人　宮城與徳
右讀ミ聞ケタル處相違無キ旨申シ立テ署名拇印シタリ
即日　於築地警察署
警視廳特別高等警部補　拓植準平

極秘

三十(七)

第二回被疑者訊問調書

被疑者 水野 茂

右者ニ對スル治安維持法竝ニ國防保安法違反被疑事件ニ付東京刑事地方裁判所檢事玉澤光三郎ノ命令ニ因リ昭和十六年十月二十七日荻窪警察署ニ於テ司法警察官警部補 河野 啓ハ司法警察吏巡査深瀨六郎立會ノ上右被疑者ニ對シ訊問スルコト左ノ如シ

一、問 被疑者ノ犯罪ノ前歷ハ如何

答 昭和五年十二月末東亞同文書院二年在學中、上海在留日本人ガ學校門前ニ於テ日本ノ海軍士官候補生ニ共產主義宣傳ビラヲ手渡シタ爲ニ其ノ犯人ガ東亞同文書院ノ學生デアルト見做サレテ私共左翼學生六七名ガ上海日本總領事館警察ニ檢擧サレ十日間拘束サレマシタ。

次デ昭和六年八月中旬上海公安局警察ニ反南京政府派狩リノ卷

水野 二ノ一

キ添ヘヲ食ツテ檢擧サレ日本人デアル事ガ判ツタ爲ニ上海總領事警察ニ引渡サレ十日間拘束サレタ後送還サレマシタ。

皈國後昭和十一年十二月末大原社會問題研究所ニ勤務中同所員ニシテ共産主義者

和田四三四

ノ日本共産黨再建準備活動ヲ援助シテ居タ爲東京世田谷警察署ニ檢擧サレ昭和十三年二月起訴猶豫處分トナツテ釋放サレマシタ。

三、問　被疑者ノ經歷ノ概要ハ如何

答　私ハ昭和三年三月京都府立宮津中學校ヲ卒業シテ昭和四年四月在上海東亞同文書院ニ入學シマシタガ昭和六年六月中途退學シ仝年八月末皈國シマシタ。
昭和八年十二月大阪市ノ大原社會問題研究所ニ入所シ昭和十一年六月上京シテ東洋協會ニ就職シマシタ。

仝年十二月末検擧サレタ爲ニ仝協會ヲ辭職シ昭和十三年二月起訴猶豫處分トナツテ釋放後仝年六月昭和研究會ニ就職シマシタガ昭和十四年秋辭職シ約八ヶ月依囑サレテ大日本青年團本部ノ年鑑編纂ニ從事シ昭和十六年一月ヨリ坂本記念會ノ支那百科辭典ノ編輯ニ從事シテ居リマス。

三、問　被疑者ガ共産主義ヲ信奉スルニ至ツタ過程ノ概要如何

答　私ハ昭和五年四月東亞同文書院ノ二年ニナツテ文藝部ニ加入シ仝部委員デアツタ四年生

安齋庫治

ノ影響ヲ受ケテ次第ニマルクス主義文献ヲ愛讀スル様ニナリ又當時大阪朝日新聞ノ特派員トシテ上海在住中デアツタ

尾崎秀實

ノ指導ヲ受ケテ仝年十月頃ニハ共産主義理論ヲ信奉スルニ至リ以來今日迄之ヲ堅持シテ居リマス。

水野二ノ二

四　問　被疑者ノ共産主義運動經歷ノ概要ハ如何

答　私ハ昭和五年十月東亞同文書院內ニ

安齋庫治

白井行幸

ト共ニ

中國共産主義青年團

ノ細胞ヲ設ケテ同學院中革部學生ノ團員

王　某

郭　某

ト連絡シテ學內ニ共産主義ノ宣傳ヲ行ヒ又仝年十一月頃ニハ學生ヲ指導シテストライキヲ行ヒマシタ。

昭和六年一月停學處分ヲ受ケテ後仝年八月末歸國迄ノ間ハ中國共産黨員

揚　某

ト連絡シテ學外ヨリ同級生デアツタ

酒巻　隆

ヲ通ジテ學内ノ左翼學生ヲ指導シ又中國ソビエツト援助資金ヲ左翼學生ヨリ集メマシタ

又昭和十年四月頃以降昭和十一年五月頃迄當時私ノ勤務先デアツタ大原社會問題研究所員

和田四三四

ガ日本共産黨ノ再建ノ為ノ活動ヲシテ居ルコトヲ知リナガラ仝人ニ對シテ世界情勢支那革命等ニ關スル宣傳材料ヲ提供シテ仝人ノ運動ヲ援助シマシタ。

五、問　被疑者ノ今次諜報活動ノ經歷ハ如何

答　私ハ上海在住中昭和六年五月頃約一ケ月

鬼頭銀一

等ノ諜報活動ニ參加シテ活動シマシタ

水野二ノ三

皈國後昭和十一年夏以降今日迄
尾崎秀實
宮城與德
等ノ諜報團ニ加盟シテ活動シテ居リマシタ

六問
鬼頭銀一等ノ諜報團ニ關係シテ活動スルニ至ツタ經緯ノ概要ハ如何

答
昭和六年四月下旬頃豫テ交友關係ノアツタ中國共産黨員揚某ヲ通シテ
鬼頭銀一ニ紹介サレ鬼頭カラ支那革命ヲ援助スル爲共産軍討伐ノ南京政府軍ノ動靜ヲ調査スル事ヲ依頼サレ、私ハ支那革命ガ世界革命ノ重要ナ一部分ヲナスモノデアルト信シテ居マシタ爲ニソレヲ承諾シテ諜報活動ヲナスニ至ツタ次第デアリマス

七、問　鬼頭一派ノ諜報團ノ本質ニ對スル認識ノ概要ハ如何

答　私ハ「コミンテルン」ノ究極ノ目的トスル世界革命ノ實現ノ爲ニ重要ナ一部分ヲ爲シテ居ル支那革命遂行上必要ナル、諸般ノ情報ヲ探知蒐集スル事ヲ目的トシタモノデアルト信ジテ居マシタ

八、問　鬼頭一派ノ諜報團ノ組織並ニ連絡方法等ニ對スル認識ノ概要ハ如何

答　昭和六年五月中旬頃鬼頭銀一ヨリ一西洋人（四十五六歳ニ見エ丈ハ五尺八寸位アリガッチリシタ体格デ容貌傀偉ナ男）ヲ紹介サレタ事實及ビ鬼頭ガ中國共產黨ト連絡アル事實等ヨリシテソノ諜報團ガ鬼頭初メ支那人、西洋人等ニヨッテ組織サレテ居ルモノト推察シマシタ

ソノ連絡方法ニ就テモ詳シク知リマセンガ

鬼頭銀一

水野二ノ四

ガ蒐集シタ情報ハ彼又ハ前述外人ヲ通シテ中國共產黨及ビ「コミンテルン」ニ通達サレルモノト信シテ居マシタ

九、問　被疑者ガ鬼頭一派ノ諜報團ニ於テ爲シタル諜報活動ハ如何

答　私ハ昭和六年五月上旬ヨリ約一ケ月間中國共產軍討伐ニ從事中ノ南京政府軍ノ編成ノ配置、兵力等ヲ支那新聞記事及ヒ東亞同文書院ノ左翼中華學生

某

等ニ依ツテ調査シマシタ

ソノ間仝年五月中旬ニ一回

上海南京路

チヨコレート　シヨツプ

ニ於テ

鬼頭銀一

ト連絡シテ報告シマシタガ、ソノ約一週間後ノ連絡日ニ鬼頭ガ來

ズ其ノ後彼ノ消息ガ判ラナクナリマシタノデ鬼頭ヲ紹介シタ
ニ相談シテ活動ヲ中止シマシタ

十、問　右活動ニ對シテ報酬ヲ貰ツタカ、

答　貰ヒマセンデシタ、

十一、問　尾崎秀實一派ノ諜報團ニ加盟シテ活動スルニ至ツタ經緯ノ概要ハ如何

答　昭和十年末豫テ上京中ノ
尾崎秀實
ヲ訪ネテ上京シタ際上海在住中、鬼頭ヨリ紹介サレタコトノアル前述西洋人ヲ尾崎ヨリ上野池ノ端ノ某料理店デ紹介サレテ尾崎ガ「コミンテルン」ノ諜報活動ニ何等カノ關係アル事ヲ推察シマシタ其ノ後私ハ昭和十一年六月上京シマシタガ仝年八月頃アメリカデ開催サレタ、汎太平洋會議ニ尾崎ガ日本代表ノ一員トシテ渡米

水野　二ノ五

スル直前頃彼ガ

君モ從來ノ關係カラ想像出來ル樣ナ仕事ヲヤッテ居ルカラ協力シテ吳レ

ト言ハレタノデ私ハソノ仕事ガ「コミンテルン」ノ諜報活動デアルコトヲ察知シマシタガ私ハ斯ル活動ガ世界革命實現ノ立場カラ重要ナルモノデアルト信シテ居マシタノデソレヲ承諾シタ次第デアリマス

十二、問　尾崎一派ノ諜報團ノ本質ニ對スル認識ノ概要ハ如何

答　常ニ我々諜報團ハ近年ニ於ケル日本ノ地位ガ國際的ニ非常ニ重要ナモノトナッテ居リ從ッテ「コミンテルン」ノ究極ノ目的トスル世界革命實現ノ見地カラ極メテ重要ナ地位ヲ持ツ日本ノ諸般ノ情報ノ探知蒐集ヲ目的トシタモノデアリマス、

十三、問　全諜報團ノ組織竝ニ連絡方法ニ對スル認識ノ概要ハ如何

答　私ノ知ッテ居ルコノ諜報團ノメンバーハ前述ノ西洋人ノ外

尾崎秀實
宮城與德
私

デ其ノ他ニ外人ガ關係シテ居ルト思ツテ居リマス、

尾崎秀實

ハ主トシテ其ノ社會的地位ヲ利用シテ政治、經濟、外交等ニ關スル情報並ニ重要資料ヲ探知蒐集シ、

宮城與德

ハ主トシテ軍事方面ノ情報等ヲ探知蒐集シテ居タ樣デアリマス、

私ハ尾崎ノ命ニ從ツテ活動シテ居マシタ、前述ノ外人トノ連絡ニ就テハ詳ニシマセンガ主トシテ

宮城與德

ガ之ニ當ツテ居タヤウデアリマス、

私ハ常ニ尾崎方ニ出入シテ居タノデ活動上ノ連絡ハ其ノ際ニシテ

水野二ノ六

居マシタカ宮城ト尾崎トモ主トシテ尾崎ノ家デ連絡シテ居タ様デアリマス、尚ホ「コミンテルン」トノ連絡ハ前述ノ外人ガ主トシテ之ニ當ツテ居ルモノト推察シテ居マシタ

十四　問　被疑者ノ全團ニ於テ爲シタル諜報活動ノ概要ハ如何

答　私ハ昭和十一年七月末頃ヨリ約二ケ月

尾崎秀實

ノ渡米中彼カラ紹介サレタ

宮城與德

ト週一回乃至隔週一回何時モ夕方當時

瀧野川區西ケ原番地不詳岡井方

ニ彼ヲ訪問シテ政治經濟等ニ關スル情報ノ交換ヲ行ツテ居マシタガ其ノ間宮城ノ依賴ニ依ツテ

橋本欣五郎大佐

ノ提唱セル革新運動ノ活動方針、組織方針等ヲ

三六　情報

其ノ他ノ雑誌ノ記事ヲ綜合シテ纒メテ彼ニ報告シマシタ、

其ノ後仝年末前述ノ如ク私ハ検擧サレタ爲ニ活動ガ一時中絶シマシタガ昭和十三年六月再ビ上京シ尾崎トノ連絡ヲ始メルニ及ンデ活動ヲ復活シ以來今回ノ検擧迄ノ間ニ彼（尾崎）ノ命ニ依ツテ昭和十五年二月頃第六十八議會ヲ通ジテ現ハレタ既成政黨解消運動ニ關スル各政黨ノ動向ヲ日刊新聞ノ記事ヲ資料トシテ分析綜合シテ纒メ、其ノ直後數年前ヨリノ革新運動ノ動向ヲ協調會發行ノ

「勞働年鑑」

「社會政策時詳」

及ビ

木下半治著

「日本國家主義運動史」

其他日刊新聞記事ヲ分析綜合シテ調査シ仝年夏頃支那事變發生後

水野二ノ七

ノ日本農村ノ經濟狀態ヲ

「帝國農會報」

「農業年鑑」

「日本農業新聞」

「産業組合時報」

等ノ記事ヲマルクス主義的立場ヨリ分析綜合シテ調査シ何レモ資料トシテ尾崎ニ手交シマシタ、

又昭和十四年夏飯鄕ニ際シテハ十六師團ノ派遣先ノ調査ヲ本年八月飯鄕ニ際シテハ京都師團ノ本年七月召集兵ノ滿洲出動ノ有無ノ調査ヲ命ゼラレ前者ハ日刊新聞記事ヤ近隣者ニ依リ、後者ハ應召者ノ家族等ニ就テ探知シ前者ハ簡單ナルメモトシ、後者ハ口頭ヲ以テ報告シマシタ、尚後者ハ本年八月上旬歸京當時尾崎秀實ガ旅行不在中デシタノデ先ツ宮城與德ニ報告シ尾崎ニハ彼ガ歸京後報告シマシタ又本年八年歸京直後細川嘉六方ニ於テ京都師團ノ臨召者一本年七月末ノ一全員ガ出動シタコトヲ聞知シタノデ早速ソノ旨ヲ宮城ニ報告シマシタ

尚私ハ平素ヨリ其ノ時々ノ政治、經濟問題等ニ關スル大衆ノ動向ニ意ヲ用ヒ之ヲ尾崎ニ報告シテ居マシタ外尾崎ヲシテヨリ以上ニ諜報活動ニ從事セシムル爲メ昭和十四年以降彼ガ依頼サレタ論文著書ノ原稿ノ代筆、資料ノ作成等ヲシテ居マシタ以上ガ私ノ現在記憶ニアル尾崎一派ノ諜報團ニ於ケル私ノ活動ノ全部デアリマスガ其ノ詳細ハ追テ申上ゲマス

十五問　右活動ニ於ケル報酬及活動費用等資金關係ハ如何

答　特ニ活動ニ對スル報酬トシテ貰ツタ事ハアリマセンガ昭和十四年末頃迄ハ時々拾圓乃至貳拾圓位生活費ノ補助トシテ貰ヒマシタ
又代筆シタモノヽ原稿料モ時々貰ヒマシタ

被疑者　水野　茂

水野二ノ八

右閲讀セシメタルニ無相違旨申立テ署名捺印セリ

即日

於荻窪警察署

警視廳特別高等警察部特高第一課

司法警察官　警部補　河野啓

司法警察吏

警視廳巡査　深瀬五郎

訊問調書

被疑者 田口右源太

右者ニ對スル治安維持法並國防保安法違反被疑事件ニ付昭和十六年十月二十九日東京刑事地方裁判所檢事局ニ於テ檢事玉澤光三郎ハ裁判所書記山田信夫立會ノ上右被疑者ニ對シ訊問スルコト左ノ如シ

一問 氏名、年齢、職業、住居、本籍及出生地ハ如何

答 氏名ハ 田口右源太
年齢ハ 當三十九年
職業ハ ロープ原料商
住居ハ 東京市四谷區坂町七十五番地
本籍ハ 北海道北見國網走郡網走町南七條東一丁目十番地
出生地ハ 北海道北見國紋別郡雄武村

二問 被疑者ノ學歴ハ如何

ノ

田口二

答　明治學院専門部中途退學デアリマス。
三、問　前科ハアルカ
答　所謂三・一五事件関係者トシテ検挙サレ昭
和四年四月頃札幌控訴院ニ於テ治安維持
法違反ニヨリ懲役三年ニ處セラレテ居リマス
四、問　被疑者ハ共産主義ヲ信奉シコミンテルン並ニ日
本共産党ヲ支持シ其ノ目的達成ニ資セムガ為
メニ米國共産党員ナル宮城與徳等ト連絡シ
外國ニ通報スル目的デ我國ノ政治財政経済軍
事等諸般ノ情報ヲ収集探知シ之ヲ右與徳ニ提供
シタル等諸般ノ活動ヲ為シコミンテルン並ニ日
本共産党ノ目的遂行ノ為メニスル行為ヲ為
シタ嫌疑デ取調ヘヲ為スガ何カ云フ事
イカ。
答　私ハ共産主義ハ信奉シテ居リマセヌ
御訊ノ通リ宮城與徳ニ政治情報軍事情報ヲ提

供シタ事實ハアリマス

宮城與徳ト八一昨年暮頃私が四谷區坂町七十五番地ノ現住所ニ九津見房子ヲ頼ツテ上京シテ以来知合セトナツテ居リマス當時宮城ハ九津見ヲ度々訪問シテ居リマス

其ノ関係デ自然ニ知合フニ至ツタノデス同人ハ米國帰リノ画家デアリマスが外國ノスパイヲシテ居ル人デス

私ハ宮城カスパイヲシテアル事ヲ知リ乍ラ政治情報軍事情報等ヲ提供シテ居ツタノデスが其ノ詳細ハ後日ノ御取調ノ際申上ケマスカ其ノ内テ尤モ明瞭ナモノ丈ケ申上ケマスト

今ヨリ二ケ月程前麻布區龍土町ノ宮城方ニ遊ビニ行ツタ時宮城カラ北海道ニ在ル飛行場ヲ知ツテ居タラ教ヘテ呉レト云ハレタノデス地圖ヲ書イテ飛行場ノ在ル場所ヲ教ヘマシタ

数ヘタ飛行場ハ

千歳飛行場
厚岸飛行場
札幌飛行場
美幌飛行場
樺太ノ内路飛行場

等デアリマシテ尚千島ノ何處カニモ一ツ位アリマシタト云ッテ置キマシタ右ノ飛行場ノ内厚岸飛行場、美幌飛行場ハ軍用飛行場デアリマス、樺太ノ内路飛行場モ軍用ト思ヒマス尚其ノ際宮城カラ今度北海道ニ行ツタ時ニハ飛行場ノ事ヲ調ヘテ呉レナイカト申シマシタノデ私ハ之ヲ引受ケマシタ

尚申シ落シマシタガ飛行場ノ事ヲ聞カレタ際北海道ノ兵隊ハ樺太ノ方ニ行ツタノデハナイカト質問サレマシタカラ私ハソウヴラシイト

返事シテ置キマシタ

被疑者 田口右源田

右読聞ケタルニ相違ナキ旨申立署名拇印シタリ

前同日

東京刑事地方裁判所検事局

裁判所書記 山田信夫

検事 玉澤光三郎

第二回被疑者訊問調書

被疑者　田口右源太

右者ニ對スル治安維持法違反被疑事件ニ付東京刑事地方裁判所検事玉澤光三郎ノ命令ニ因リ昭和十七年二月五日青山警察署ニ於テ司法警察官警部川崎清次ハ司法警察吏巡査鈴木正立會ノ上右被疑者ニ對シ訊問スルコト左ノ如シ

一、問　被疑者ガ前回申述ベタル事ハ相違無イカ

一、答　本籍ノ番地其ノ他ニ多少相違シテ居ル点ガアリマスノデ御訂正ヲ願ヒマス

其レハ本籍地ノ番地第七条一丁目十番地ト申シマシタノハ南七条東二丁目ニ番地ガ本當デアリマス

前科ノ言渡年月日ヲ昭和四年四月ト申上ゲタノハ昭和四年五月二十一日ガ本當デアリマス

田口

二　問　位記勲等年金恩給身分公職関係

答　何レモ関係アリマセン

三　問　犯罪ノ前歴ハ如何

答　私ノ犯罪ノ前歴ハ次ノ通リデアリマス

(1) 前科

昭和四年五月二十一日札幌控訴院ニ於テ治安維持法違反ニ依リ懲役三年（未決拘留百二十日通算）ニ處セラル

之ハ私ガ日本共産党北海道地区委員トシテ活動中昭和三年三月十五日所謂三・一五事件ニ依リ検挙サレタ為メデアリマス

(2) 拘留

拘留ハアリマセン

(3) 検束

(イ) 昭和二年十二月札幌警察署ニ一日間検束

之ハ当時日本労働組合全国評議会札幌合同労働

組合書記トシテ小作争議ノ應援ヲシタ為デアリマス。
(ロ)昭和七年四月北海道空知郡深川警察署ニ三十日間検束
之ハ当时全國農民組合北海道聯合會空知出張所書記トシテ小作争議ノ應援ヲシタ為メデアリマス。

四、問　今度ハ何時何處デ何ノ理由デ検挙サレタカ

答　昭和十六年十月二十四日
北海道釧路市錦町三丁目一番地樵山識方(妻ノ実家)デ釧路警察署員ニ検挙サレ仝年仝月二十九日警視廳ニ護送セラレ即日青山警察署ニ勾留サレマシタ其ノ理由ハ共産主義運動並ニ諜報活動ヲシタ為メデアリマス。

五、問　被疑者ノ出獄後ニ於ケル住居ノ移動関係ハ如何

答　私ハ昭和六年十月八日三・一五事件ニ依ル刑ヲ満了シテ出獄致シマシタガ其ノ後ニ於ケル住居ノ移動ハ次ノ通リデアリマス。
(1)自昭和六年十月
至昭和七年三月　北海道紋別郡雄武村番外地實父田口源太郎方

田、二

2

(2) 自昭和七年三月
至今年七月
北海道空知郡栗山村所在全國農民組合北海道聯合會空知出張所

(3) 自昭和七年七月
至今年十一月
北海道常呂郡野付牛町所在野付牛消費組合

(4) 自昭和七年十一月
至昭和八年二月
東京市芝区廣町以下不詳森澤昌輝方

(5) 自昭和八年一月
至昭和八年七月
東京市京橋区昭和通り某喫茶店方

(6) 自昭和八年七月
至今年十一月
東京市今川町某下宿屋

(7) 自昭和八年十一月
至昭和九年四月
北海道網走郡網走町南七条東二丁目二番地

(8) 自昭和九年四月
至今年十一月
北海道紋別郡雄武村番外地田口源太郎方

(9) 自昭和九年十一月
至昭和十年五月
北海道札幌市南一条西十九丁目丸越アパート

(10) 自昭和十年五月
至昭和十二年五月
北海道札幌市北五条西十六丁目番地不詳

(11) 自昭和十二年五月
至仝年十二月
北海道紋別郡紋別町以下不詳

(12) 自昭和十二年十二月
至昭和十三年二月
北海道札幌市北十一条西二丁目番地不詳

(13) 自昭和十三年二月
至昭和十四年七月
北海道斜里郡斜里町横山誠方

(14) 自昭和十四年七月
至昭和十四年十一月
樺太大泊町栄町一丁目二番地

(15) 自昭和十四年十一月
至現在
東京市四谷区坂町七五番地

六、問 健康状態ハ如何

答、 私ハ生来健康デ現在迄ニ格別身体ニ故障疾患等ハアリマセン

四、二

3

尚既往症トシテハ三歳ノ頃重イ急性肺炎ニ罹リ又昭和五年網走刑務所ニ服役中ニ腸チフスニ冒サレタ事ガアリマス、急性肺炎ノ時ハ幼イ頃ノ事デスカラ下ノ位ノ期間煩ッタカ判リマセンガ腸チフスノ時ハ約三ヶ月間病舎ニ居リ危ク一命ヲ失フ所デ漸ク助カリマシタ

七、問　趣味、嗜好ハ如何

答、　趣味ハ
　　囲碁、魚釣
　嗜好ハ
　　煙草、菓子
　等デアリマス。

八、問　資産及生活ノ状態ハ

答、　私ニハ資産ハ何モアリマセン
　昨年二月頃迄ハ大東興業株式会社ノ取締役トシテ一ヶ月約二百円位ノ収入ガアリマシタカラ普通ノ生活ヲ営ンデ居リマシタガ昨年三月頃カラ其ノ会社ノ事業ガ駄目ニ成ッテ

仕舞ッタ為メ失業シ其ノ後ハ人ヨリノ借金ト妻ノ内職行商ニ依ル僅カノ収入ニ依リ辛フシテ生活ヲ維持シテ居リ一方私ハ昨年五月頃カラ「ロープ原料商ヲ営ミ此ノ仕事ガ将来ノ見込モ立ツ検挙サレル直前ニハ一ケ月約二百円位ノ収入ガアル事ニ成ッテ居タノデスガ其ノ一定収入ガ得ラレナイ内ニ今回ノ検挙ニ遭遇シタノデアリマシテ昨年二月頃カラハ非常ニ苦シイ生活ヲシテ居リマシタ

九、問
答

家庭ノ状況ハ

私ノ現在ノ家庭ハ

私、

妻　時子　当三十一年

長女　洋子　当九年

長男　正平　当七年

ノ四人暮シデアリマス、

私ハ昨年五月頃カラ北海道ニアル榀ト云フ木ノ皮ヲ原料トスル麻縄ノ代用品デアルロープ原料商ヲ初メ昨年九月

田・二

月頃カラ京橋区銀座西八丁目ノ中外物産商会ガ此ノ事業ヲ引受ケテ経営スル事ニ成リマシタノデ私ハ全商会員ニ雇ハレ引続キ其ノ仕事ヲシテ居リマシタ
尚家庭ノ生活状態ニ就テハ前ニ申上タ通リデアリマス外ニ私ノ家族トシテ父母ハ現在東京市杉並区荻窪善福寺町ニ住ンデ居リマスガ最早両親共高齢ト病身ノ為ニ何モセズ又資産モアリマセンノデ子供達ノ仕送リヲ受ケテ生活シテ居リ又私ニハ兄二人姉一人妹三人、弟一人ガアリマスガ何レモ別居シテ居リマス
私ノ父深太郎ハ岡山県ノ産デアリマスガ三十歳ノ頃北海道ニ移住シ其ノ後漁業、農牧業、山林造林業ヲ経営シテ間モ無ク相当ノ成功ヲ収メ一時ハ土地一万余町歩ヲ所有シテ北海道デモ一、二ヲ争フ地主トナリ五、六十萬圓位ノ資産ガアリマシタ
一方父ハ政治ガ好キデ第一期ノ道会議員カラ大正十三年脳溢血デ倒レル迄引続キ道会議員ヲ勤メテ居リマシタ

母ハ札幌市スミス女學校第一期ノ卒業デアリマシテ、基督教信者デアリマス
前記ノ樣ナ家庭ノ情況ノ下ニ在ッテ私ハ其ノ三男トシテ生レ物質的ニハ何等不自由ナク成育シタノデアリマス然シ父ハ事業ヤ政治ノ関係上一年中殆ンド在宅スル事ガ無ク父ノ顔ヲ見又其ノ語ニ接スル機会ハ稀ナ状態デアリマシタ
一方母ハ北海ニ於ケル當時ノ女性トシテハ知識階級ニ屬シ子供ノ教育ニハ熱心デアリマシタガ理性ニ勝チ過ギテ居リ一見一般ニ見ル母性愛的氣持ハ薄イ傾向ガ見受ケラレマシタ、良妻賢母ノ噂ハアリマシタガ家庭的ニハ子供達ニ慕ハル、優シイ母デハ無カッタノデアリマス
從ッテ私ガ成育當時ニ於ケル私ノ家庭ハ物質的ニハ何等不自由ハ無カッタノデアリマスガ以上ノ樣ナ関係ヨリ精神的ニハ何トナク冷タイ家庭デアッタノデアリマス

ス

又他方母ガ基督教信者デアリマスカラ私モ幼少ノ頃カラ基督教ノ感化ヲ受ケ日曜学校ニ通ツテ比較的理智的ニ育テラレ淋シイ家庭ニアツテ何物カ暖キモノヲ憧レ求ムル心持ガアツタト思ヒマス

斯ル家庭ニ育テラレ一方ニ於テハ所謂賢母的ナ躾ケヲ受ケ他方ニ於テハ愛情ニ負ケタ家庭生活ノ雰囲気ノ中ニ立ツテ理智的ニ物ヲ考ヘル傾向ニ慣レタ結果ハ批判的思考ト求メテ充サレナイ不安ヤ不満ヲ絶ヘズ心ノ中ニ蔵スルノ性格的傾向ヲ有スルニ至ツタノデハ無イカト思ハレマス

中学校ニ入学スル頃ニ来ツテカラモ学資等ニ不自由ナク上京シテ明治学院ニ入学後モ父ノ病気ニ倒ルヽニ至ル迄ハ一見一般ノ学生ト同様ニ自由ニシテ愉快ナ学生生活ヲ送リ得タノデアリマス

大正十三年父ガ脳溢血デ倒レテカラハ急速ニ家産ガ傾キ

学資モ従来ノ様ニ豊デハ無クナリマシタ
然シ家業学資ニ困ル様ナ状態デハアリマセンデシタ
私ガ教育当時ニ於ケル私ノ家庭ノ状況ハ以上ノ通リデ
アリマス
従ッテ私ガ家庭カラ受ケタ性格的影響ハアルト思ヒ
マスガ私ガ左傾思想ニ感染スル直接ノ動機原因等ハ
家庭ニハ無イト思ヒマス

十

問答

學歴ハ
私ノ学歴ハ次ノ通リデアリマス
(1)大正七年三月
北海道紋別郡雄武村公立雄武尋常高等小学校
高等科第二学年卒業
(2)大正二年三月
私立北海道中学校卒業
(3)大正十二年四月
私立東洋大学専門部国文科入学

(4) 大正十三年三月
前記東洋大学退学
(5) 大正十三年四月
私立明治学院高等学部商科ニ入学
(6) 大正十五年三月
仝校二年修了退学

十一、問　学業成績ハ如何
答、　学業成績ハ小学校時代ハ常ニ優等デアリマシタガ
中学時代ニナッテカラハ中位デアリマシタ
尚其ノ二ノ学校ハ何レモ中途半端デアリマシタノデ
其ノ成績ハ良クアリマセンガ大体矢張リ中位デアッ
タト思ヒマス。

十二、問　得意不得意ノ科目ハ
答、　全般ヲ通ジテ得意ナ科目ハ
数学ト論理学
等デ

不得意ナ科目ハ
語学、國語、漢文、
等デアリマシタ

十三問、修学ノ目的ハ
答、修学ノ目的ハ商人トシテ将来事業家ニ成ル心算
デアリマシタ

十四問、職業経歴ハ如何
答、私ノ職業経歴ハ次ノ通リデアリマス
(1) 自昭和二年六月
至仝年十月
樺太恵須取町所在樺太工業株式会社恵須取
パルプ工場事務員
(2) 自昭和七年十月
至昭和十四年十二月
北海道及樺太ニ於テ海産物販売業
(3) 自昭和十五年五月
至昭和十六年二月
大東興業株式会社取締役

四、二

(ホ)自昭和十六年九月
至現在
ロープ原料商

十五、問
被疑者ガ従来思想上ニ影響ヲ受ケ又ハ感激ヲ覚エタル
主要書籍名ヲ時期別ニ述ベヨ

答、
(イ)自大正八年頃
至大正十二年頃
中学時代
有島武郎著
「カインノ末裔」
「生レ出ヅル悩ミ」
賀川豊彦著
「死線ヲ越エテ」
国木田独歩著
「運命論者」
「牛肉ト馬鈴薯」
石川啄木著
「一握ノ砂」

夏目漱石著
「夢枕」
「我輩は猫である」
(2) 自大正十三年頃
至大正十四年頃
東洋大学在学時代
カウツキー著
「資本論解説」
プレハノフ著
「マルクス主義の根本問題」
マルクス、エンゲルス著、
「資本論」第一巻
スターリン著
「レーニン主義の理論と実践」
ボグダノフ著
「経済学入門」
福本和夫著

8

「方向転換論」
「ブハーリン著
「共産主義ＡＢＣ」
エンゲルス著
「空想ヨリ科学ヘ」
雑誌
「マルクス主義」
「無産者新聞」

被疑者　田口右源太

右讀聞ケタル處無相違旨申立テ署名拇印シタリ

同日
於青山警察署
警視庁特別高等警察部特高第一課
司法警察官
警視庁警部　川崎清次
司法警察吏
警視庁巡査　鈴木　正

第三回被疑者訊問調書

被疑者　田口右源太

右者ニ對スル治安維持法国防保安法違反被疑事件ニ付東京刑事地方裁判所検事玉澤光三郎ノ命令ニ因リ昭和十七年二月七日青山警察署ニ於テ司法警察官警部川崎清次ハ司法警察吏巡査鈴木正立會ノ上右被疑者ニ對シ訊問スルコト左ノ如シ

一、問　被疑者ハ共産主義ヲ信奉スルニ至リタル時期並ニ其ノ主タル原因ハ如何

答　私ガ共産主義ヲ信奉スルニ至ツタノハ大体昭和二年十二月頃ト思ヒマス
以下其ノ主ナル原因ト思想ノ推移過程ニ就テ申上ゲマス
家庭ノ状況ノ項デ申上ゲマシタ通リ私ハ幼少ノ頃カラ基督教ノ感化ヲ受ケテ自由主義思想ヲ受入レル素地ヲ養ハレテ来マシタガ中學ニ進

ムニ移ッテ文學ヲ愛好スル樣ニ成リ
有島武郎著「カインノ末裔」「生レ出づる惱み」
其ノ他多數ノ文學書籍ヲ繙讀シマシタ。其ノ結
果私ハ濃厚ナル人道主義者トナリ大正十三年
明治學院ニ入學スル頃ハ自由主義思想ノ保持
者デアリマシタ
大正十三年四月私ハ明治學院ニ入學シマシタが
翌十四年四月頃（公學院二年在學中）明治學院ニ
於テハ當時
「社會科學研究會」
ガ組織サレテ居ル事ヲ其ノ告示ニ依ッテ知リ
上ニ出席スル樣ニ成ッタノデアリマス
私ガ初メテ出席シタ時ノ研究會ハ
「共產黨宣言」
ヲテキストトシテ講師ハ「嘉治隆一」デアリ
マシタ

其ノ講師ハ「唯物史観」ノ解説ヲ致シマシタガ之ニ依リ初メテ此ノ現實社會ノ構成並ニ進化発展ノ理論等ヲ知リ從来私ハ斯様ナ社會全体ヲ一纏メニシタ社會観ニ接シタ事ガ無カツタノデ之ニ驚キ且ツ非常ナ感銘ヲ受ケタノデアリマス

爾後私ハ一週間ニ一回位宛開催サレタ此ノ研究会ニ引續キ出席シテ

野呂榮太郎
猪股津南雄
志賀義雄
村尾薩男

等ノ講師カラ「金融資本論」ト「唯物論ト唯心論」「日本資本主義発達史」「科學ト宗教」「無産階級ノ哲學」ト「有産階級ノ哲學」等ニ付マルクス主義ノ講議ヲ受ケテ之ヲ研究シ又其ノ頃ヨリ

之

五、三

カウツキー著「資本論解説」其ノ他多数ノ左翼文献ヲ耽読シ其ノ結果次ノ様ナ事ヲ知リマシタ

即チ現實社會ハ其ノ根本土台ハ経済関係デアリマシテ其ノ土台ノ上ニ政治関係ヤ宗教、文學思想等ノ諸関係ガ建築セラレテ居ルノデアッテ社會ノ進化ハ其ノ下部構造ヲ為ス所ノ経済関係ガ進ムト上部構造タル政治ヤ思想関係ガ其ノ土台デアル経済関係ニ適應セザルニ至リ斯ル社會ニハ急激ナル変化即チ革命ガ起キテ一ツノ進化ヲ為シ新シキ社會ガ建設サレルノデアリマス

即チ新ナル上部構造ハ土台ガ変ッテ次テ建築セラレタル土台ノ推移ニ従ッテ変化シ斯クシテ新タナ諸観念、政治関係ガ発生シ全体トシテ

新社會ガ生レルノデアリマス
又従来ノ歴史ハ對立スル二大階級ノ斗争ニ依ッテ進歩シ又進歩スルモノデアリマシテ貴族對平民「ブルヂョア」對「プロレタリア」ノ階級斗争ノ如キモノデアリマス
斯クシテ「プロレタリア」ハ「ブルジョア」ト斗争ニ打勝チ共産主義社會ヲ創造スルノデアリマス
斯クシテ「プロレタリア」ハ「ブルヂョア」トノ斗争ニ打勝ケ共産社會ヲ創造スルノデアリマス
更ニ唯物論ハ世界ニ存在スルモノハ物質ト其ノ運動ノミデアッテ精神ハ物質ノ一属性デアリ歴史ノ進歩ハ物質ト其ノ運動法則ニ依ッテ定マリ精神ハ其ノ表現ニ過ギズ進化

ノ過程ハ必然的デアッテ人間ノ意志ノ如何ニ拘ラズ進行シ人間ノ自由意志ノ関知セザル所デアリマス斯ノ如キガ共産主義社会ノ構成及進化発展ノ理論デアリマシテ私ハ其ノ概要ヲ学ンダノデアリマス

又私ハ其ノ頃

雑誌

「マルクス主義」

「無産者新聞」

等ヲ繙読シテ我国ニ於ケル無産者運動ノ情况ヲ知リ無産階級ノ解放運動ニ従事スル事コソ人間トシテ生甲斐ノアル事デアルト考ヘル様ニ成リ斯クシテ私ハ大正十五年三月頃ニハ共産主義ニ共鳴スルニ至ッタノデアリマス

其結果学業ニモ興味ヲ失ヒ一方其ノ頃父ノ病気ニ依リ家産ガ傾イテ学資モ其レ迄ノ様ニ思フ様

デ無ク自分モ肺臓加答児ヲ患ツタノデ大正十五年三月頃明治學院ヲ退學シテ故郷ノ實家ニ帰リ病気静養ノ傍ラ家業ニ従事シ就職ノ希望ヲ致シマシタガ思フ様ニ行カズ荏苒日ヲ送ツテ居ル内ニ当時ノ意識カラ

「日本労働組合評議會札幌合同労働組合」ニ加入シ昭和二年十一月頃仝組合ノ常任書記ト成リマシタ

以上私ハ「社會科學研究會」ニ依ルマルクス主義ノ研究左翼文献ノ耽讀左翼労働組合ノ実践等ノ過程ヲ通ジテ昭和二年十二月頃共産主義ヲ信奉シ仝年仝月

沼山松藏

ノ勧誘ニ依ツテ日本共産党ニ入党シ北海道地區委員トシテ活動中昭和三年三月十五日所謂三、一五事件ニ依リ検挙セラレ懲役三年ノ刑ヲ受ケテタ

任・三

六　問

答

網走刑務所ニ服役シタノデアリマス

三・一五事件ニ依ル刑ノ処分ヲ受ケタル後ニ於ケル思想推移過程ノ関係ハ如何

私ハ刑務所ニ服役中モ共産主義思想ニ対シテハ根本的ニ批判ヲシ転向スル意志ハ無ク依然其ノ正当性ヲ堅持シテ居リマシタ

只受刑中私ガ深刻ニ考ヘ又感ジテ居タ事ハ共産党ノ活動ノ非合法性デアリマス

其ノ理由ハ我国ニ於テハ共産党ハ非合法タルヲ余儀ナクセラレテ居ルノデアリマシテ此ノ事ハ共産党ガ大衆党デナケレバナラズ又其ノ活動モ大衆的デナケレバ意味ヲナサナイト云フ其ノ性質ト鋭ク矛盾対立スルカラデアリマス

私ハ運動ニ対シ斯ル疑問ヲ抱キツツ、出獄シタノデアリマスガ出獄後モ共産主義信奉ノ信念ヨリ依然無産者運動ニ対スル興味ト関心ヲ失ヘズ出獄後間モ無

ク昭和七、年三月頃
「全國農民組合北海道聯合會空知出張所」
ノ留守書記トシテ今度ハ合法的大衆運動ヲ通ジテ
再ビ無産階級ノ解放運動ニ従事シタノデアリマス
然ルニ昭和七年四月北海道空知郡雨竜村蜂須賀農場
ノ小作争議ヲ指導シテ約一ケ月間検束サレ其ノ結果
心身共ニ疲労困憊シテ争議モ亦殘敗ニ終リ農場ノ
組織モ潰滅シテ仕舞ヒマシタノデ初メテ私ハ自分
ノ様ナ性格ノ弱イ者ハ無産運動ハ不適當デアルト考
ヘ又合法的大衆運動モ非常ナル困難性ノアル事ヲ知リ
一切ノ運動カラ身ヲ引クベク決意スルニ至ッタノデア
リマス
斯様ナ心境ノ下ニ在ッテ私ハ昭和七年十二月結婚シ
タノデアリマスガ其ノ心境ハ自然家業ト家庭生活
ヲ中心ニ置ク結果ト成リ日ヲ経ルニ従ッテ此ノ気持
ハ一層強クナリ弾圧投獄等ニ對スル恐怖観念モ

5

四・三

手傳ツテ一切ノ運動ニ關係シナイト云フ方針ヲ守ツテ来タノデアリマスガ然シ之ハ實際運動ニ對スル考ヘ方デアリマシテ自分ノ抱イテ居ル共産主義思想ノ上デハ別問題デアツタノデアリマス

即チ私ハ實際運動ニ對シテハ前述ノ如ク之ニ關係シナイト云フ考ヘヲ持ツテ居リマシタガ思想観念ノ上デハ依然トシテ共産主義ノ理論ヲ清算シ得ズニ居リデアリマシテ此ノ私ノ思想ト生活トノ矛盾對立ハ終始私ヲ憂鬱ナラシメテ居タノデアリマス私ハ共産主義ニ對スル共鳴的感情ヲ有シ何レノ日ニカ之ガ實現セラルベキカヲ夢ミ現實ニ於テハ之ト反對若クハ共産主義的運動ニ接觸スル事ニ恐怖ヲ感ジテ居リ此ノ不愉快ナル状態ヲ自ラ生ケル屍ト感ジテ居タノデアリマス

斯ル矛盾セル心理ハ没落トモ稱シ得ベク轉向トハ云ハレナイト思フノデアリマシテ私ノ此ノ傾向ハ機會ガアレバ再ビ共産主義運動ニ投ズル素地ト危険性ヲ多分ニ殘シテ居タ

ノデアリマス、形勢ノ非ナルヲ見テ一時退却シ而モ中心ニ於テハ依然主義ヲ保持スルト云フ態度ハ之ヲ日和見主義ノ一形式ト看做ス事ガ出来ルノデアリマシテ之ヲ概括シマスト實際運動ニハ関係シタクナイト云フ感情ト共産主義社會ノ實現ヲ望ム感情トノ相剋ニ苦シンデ居タノデアリマシテ思想ト感情ノ上ニ於テ共産主義ヲ清算セザル限リ私ハ不完全ナリトハ言ヘ一ツノ共産主義者デアルノデアリマシテ再ビ実践活動ニ投ズルノ危険ヲ保持セルモノト云ハレナケレバナラナカッタノデアリマス

斯様ナ心境ヲ持續シテ居リマシタ時昭和十四年十一月上京シテ三一五事件ノ當時ノ旧同志タル

九津見房子

山名正實

等ト接觸スル様ニ成リマシタノデ實際運動ニハ関係シナイト云フ決心ハ何時ノ間ニカ自然ニ崩壊シ再ビ共産主義ニ基ク實践活動ヲ為スベク決意スルニ至ッタノデアリマス

6

三、問　田三

答

被疑者ハ従来如何ナル無産階級ノ解放運動ヲヤツタカ

私ノ運動経歴ハ次ノ通リデアリマス

(1) 旧評議会関係

昭和二年十一月「日本労働組合評議会札幌合同労働組合」ニ加入ト同時ニ常任書記トナリ翌昭和三年三月十五日三、一五事件ニ依ル検挙迄之ヲ継続シマシタガ其ノ間小作争議及労働争議ヲ二回指導応援シタ事ガアリマス

(2) 日本共産党関係

昭和二年十二月沼山松蔵ノ勧誘ニ依リ日本共産党ニ入党シ札幌地区委員、札幌市電「オルグ」トシテ活動中昭和三年三月十五日所謂三、一五事件ニ依リ検挙セラレマシタ

(3) 農民組合関係

昭和七年三月頃全国農民組合北海道聯合会空知出張所ノ留守書記トナリ同年七月同書記ヲ辞任致シマシタガ

其ノ間農場争議ノ應援村會議員選挙ノ指導應援等
ヲヤリマシタ
然シ之等ハ何レモ失敗ニ終ツタノデアリマス

被疑者　田口右源太

右讀聞ケタル處無相違旨申立テ署名拇印シタリ

同日　於青山警察署

警視廳特別警察部特高第一課

司法警察官

警視廳警部　川崎清次

司法警察吏

警視廳巡査　鈴木　正

第四回被疑者訊問調書

被疑者 田口右源太

右者ニ對スル治安維持法 国防保安法違反被疑事件ニ付東京刑事地方裁判所檢事玉澤光三郎ノ命令ニ因リ昭和十七年二月九日青山警察署ニ於テ司法警察官警部川崎清次ハ司法警察吏巡査鈴木正立會ノ上右被疑者ニ對シ訊問スルコト左ノ如シ

一、問 被疑者ガ「コミンテルン」ノ存在ヲ知ッタノハ何時頃カ

答 私ガ「コミンテルン」ト言フ名称並ニ其ノ存在ヲ知ッタノハ大正十四年四月（明治學院ニ學年在學當時）

「社會科學研究會」ノ「メンバー」トナッタ頃デスガ其レヲ知ルニ至ッタ經過ハ講師ノ話カ文書デアッタカ今記憶ニ殘ッテ居リマセン

二、問 「コミンテルン」ノ本質ハ如何

ノ

甲ノ四

答

私ハ「社會科學研究會」ノ「メンバー」トナツテカラ諸種ノ左翼文献ヤ雑誌「マルクス主義」「無産者新聞」等ヲ購讀シ又昭和二年十二月入党後
日本共産党機関紙
「赤旗」
等ニ散見スル諸論説記事等ヲ讀ミ尚同志カラ聞イテ「コミンテルン」ノ本質ヲ次ノ如ク認識シテ居リマス

即チ「コミンテルン」ハ「第三インターナショナル」トモ称シ國際共産党ノ謂デアリマシテ其ノ沿革ハ西暦八四六年頃マルクスエンゲルス、バクーニン等ニ依リ倫敦ニ於テ各國ノマルクス主義者或ハ無政府主義者等ニ依ツテ「第一インターナショナル」ナル國際的ナ結社ガ結成セラレマシタ

然ルニ此ノ「第一インターナショナル」ハ西暦一、八七二

年頃内部ノ軋轢ト「パリコンミユーン」ノ失敗等ノ為メ瓦解スルニ至リマシタ

其ノ後社會民主々義者ニ依リ「第二インターナショナル」ト呼バレル國際社會民主黨ガ別個ニ組織セラレマシタガ之ハ第一次世界大戰ニ當ツテ各國ノ民主黨ガ自國ノ防衛ヲ叫ビ戰爭ニ參加シタ為メ之亦事實上崩壊シテ仕舞ヒマシタ次イデ西歴一九一九年頃「レーニン」ガロシヤ革命ニ成功スルヤ當時歐洲ニ漫延セル革命的風潮ニ乘ジテ「モスコー」ニ各國共産主義者ノ參集ヲ求メテ結成シタモノデ其ノ後引續キ今日迄存續シテ居ルノデアリマス

其ノ指導理論ハ「第一インターナショナル」ノ傳統ヲ受繼ギマルクス主義ノ革命的指導理論デアリマシテ帝國主義時代ニ於ケルマルクス主義タルレーニン主義ニ依リ暴力ニ依ル革

命ト「プロレタリア」独裁政治ヲ通ジテ共産主義社會ノ實現ヲ企圖スルノデアリマス
「コミンテルン」ハ世界各國ニ支部ヲ有シ各國共産黨ハ其ノ一支部デアリマスガ指導黨ハロシヤ共産黨デアリ「コミンテルン」ノ運動方針ハ事實上ロシヤ共産黨ニ依ツテ指導セラレ各國共産黨ハ其ノ指導ニ從フノ有様デアリマス
「コミンテルン」ハ幾年カニ一回宛其ノ本部所在地タル「モスコー」ニ於テ世界大會ヲ開催シ各國支部ノ代表者ガ參加シテ運動方針其ノ他ヲ決定シテ之ヲ各國支部ニ指令スルノデアリマシテ各國支部ハ此ノ方針ヲ遵守シテ活動スルノデアリマス
我國ニ於ケル支部ハ勿論日本共産黨デアリ前述ノ「コミンテルン」トノ關係ハ變リナイノデアリマス

「コミンテルン」ハ世界ノ客観情勢ニ基キ其ノ現實ニ即應シタ政策ヲ執ルノデアリマシテ其レハ世界ニ革命的気運ガ旺盛トナレバ直接的革命運動ヲ提唱シ又資本ノ攻勢ガ強イ時ハ凡ユル反資本主義的勢力ト妥協シ之等ノ諸勢力ヲ指導シテ斗争スルノ戦術ヲ採用スルモノデアリ從ツテ其ノ運動方針モ世界ノ客観情勢ニ應ジテ変化スルノデアリマス

即チ一九三三年頃ヨリ独逸ニ「ナチス」勢力ガ抬頭シ伊太利其ノ他ノ國ニ於テモ「ファッシズム」ノ勢力ガ強マルヤ「コミンテルン」ハ從来共産主義ノ敵トシテ排撃シテ来タ自由主義者社會民主々義者トモ提携シ共同戦線ヲ張ッテ「ファッシズム」ノ攻勢ニ対抗スル様ニ成ッタノデアリマス之ガ「コミンテルン」ノ所謂人民戦線戦術デアリマシテ其ノ著シイ例ハ「フランス」「スペイン」等ニ

田四

ニ於テ見ラルヽ通リデアリマス
尚日本共産党ガ「コミンテルン」ノ支部ナル事ハ前述ノ通リデアリマシテ日本共産党ハ勿論「コミンテルン」ノ方針ニ従ヒ其ノ指導ノ下ニ活動シ来テ

山本懸蔵
野坂参貳

等ガ日本共産党ノ代表トシテ「コミンテルン」行ツテ居ルト云フ事ヲ聞イタ事ガアリマス

三
問　「コミンテルン」ハ日本ニ対シ如何ナル目的ヲ有スルヤ

答　「コミンテルン」ハ日本ニ対シ其ノ支部デアル日本共産党ヲ通ジテ日本ニ共産主義運動ヲ展開暴力革命ニ依ツテ日本ノ天皇制ヲ打倒シ私有財産制度ヲ否認シテ労働者農民ノ独裁政権ヲ樹立シ之ヲ通ジテ日本ノ共産主義社会ヲ実現スル目的トシテ居リマス

四．問
答

日本共産党ノ存在ヲ知ツタノハ何時頃カ
日本共産党ノ存在ヲ知ツタノハ「コミンテルン」ノ
場合ト合ジタ大正十四年四月頃（明治學院二
學年在學當時）
「社會科學研究會」
ニ入會シテ社會科學ニ関スル研究ヲ為スル様
ニ成ツテカラデアリマスガ人カラ聞イタカ又
ハ何カノ文書ヲ見テ知ツタノカ其ヲ知ルニ至ツ
タ経路等ハ今記憶アリマセン
然シ當時日本共産党ニ對スル認識ハ漠然タ
ルモノデ其ノ後各種ノ左翼文献ヲ耽読シ更ニ
昭和二年十二月日本共産党ニ入党後
日本共産党機関紙
「赤旗」
ヲ読ミ又同志

沼山松蔵

4

原田孝一郎

筆カラ聞イテ其ノ本質ヲ明確ニ知ル様ニ成リマシタ

五、問　然ラバ日本共産党ノ本質ハ如何

答　日本共産党ハ「コミンテルン」ノ日本支部デアリマシテ「コミンテルン」ノ指令ニ従ツテ活動スルノデアリマスガ日本共産党ガ初メテ組織サレタノハ大正十一年頃デ當時

堺利彦

佐野學

等ニ依ツテ組織セラレマシタガ間モ無ク彈壓ニ遭遇シテ潰滅シマシタ

其ノ後大正十五年頃

渡辺政之助

福本和夫

三田村四郎

等ニ依ツテ再建セラレ爾来日本共産党ハ大衆的活動ヲ開始スルニ至ツタノデアリマス

日本共産党ハ日本ノ凡ユル無産者的組織ヤ自ラノ細胞組織ヲ通ジテ日本ニ暴力革命ヲ起シ君主制ヲ廃止シ私有財産制度ヲ否認シテ労働者農民ノ独裁政府ヲ樹立シ之ヲ通ジテ日本ニ共産主義社会ヲ実現スル事ヲ其ノ目的トシ任務トシテ居リ其ノ組織ハ云フ迄モ無ク非合法デアリ従ツテ日本共産党其ノモノハ秘密結社デアリマス

六、問　日本共産党ノ「スローガン」ハ

答　日本共産党ノ「スローガン」トシテ私ノ知ツテ居ルノハ

(1) 君主制ノ廃止

(2) 大土地ノ無償没収

(3) 七時間労働制ノ確立

田四

今

(4) 帝國主義戰爭反對
(5) ソヴエート聯邦ノ擁護
等デアリマス

問 日本共産黨ノ現狀ハ如何

答 日本共産黨ハ一時相當活潑ナ運動ヲ展開致シマシタガ「三、一五」「四、一六」及ビ其ノ後ニ於ケル引續ク檢擧彈壓ニ依ツテ潰滅狀態ニ陷リ幾度モ再建運動ガ續ケラレマシタガ之亦檢擧サレニ遭ヒ其ノ後黨員間ニ「スパイ」トカ何トカ云フ事デ疑心暗鬼ヲ生ジテ遂ニ「リンチ事件」ヲ惹起シ從來ノ日本共産黨ノ首腦部ハ殆ンド全部檢擧サレテ仕舞ヒマシタ
其ノ後私ハ日本共産黨ガ再建サレタト云フ事ヲ聞キマセンノデ日本共産黨ハ現在モ潰滅狀態ノ儘ニ成ツテ居ルモノト思ヒマス

問 然ラバ現在日本共産黨ハ存在スルノカシナイノカ

答　事實上ハ潰滅状態ニアリマスガ日本共産党ガ解党ノ決議ヲシタトカ又「コミンテルン」ヨリ取消サレタトカ云フ様ナ事モ聞イテ居リマセンカラ形式的ニハ今尚存在スルモノト思ヒマス

九．問　所謂「人民戦線」ニ関スル認識ハ如何

答　「人民戦線」ノ事ハ昭和十一、二年頃新聞雑誌等ニ現レタ記事ニ依ツテ其ノ内容ヲ知リマシタ

「人民戦線」トハ一九三五年「コミンテルン」ノ第七回世界大会ノ決議ニ依リ「コミンテルン」カラ各国ノ支部ニ指令サレ各国ニ於テ展開サレタ共産党ノ新戦術デアリマス

其ノ戦術ト云フノハ第一次世界大戦直后欧洲ニ於ケル労働運動ガ旺盛ヲ極メタ頃ハ「コミンテルン」ノ運動方針モ直接革命的デアリマシタガ一九三三年頃カラ独逸、伊太利等ニ「ナチス」或ハ「フアツシズム」等ノ運動ガ擡頭シテ漸次其ノ勢

勢力ヲ増大シ共産主義運動ノ妨害トナルノミナラズ共産党ハ之ガ為メ非常ナ恐威ヲ感ズル様ニ成リマシタ
其処デ「コミンテルン」デハ先ヅ当面此ノ敵勢力ニ対抗スル為メ従来極力排撃シテ居タ自由主義者社会民主々義者等ヲ初メ「反ファッシズム」勢力カト目サル、凡ユル団体及個人ヲ糾合シ自ラハ其ノ主動体トナッテ「反ファッシズム」運動ヲ展開スルノ戦術ヲ採ッタノデアリマス
即チ人民戦線戦術ハ従来ノ極ナ革命的高度ナ「スローガン」ハ一時之ヲ引込メ自由主義的或ハ社会民主々義的ナ程度ノ低イモノニ置キ替ヘ広汎ナ運動ヲ行フノデアリマス
其ノ最モ成功的ニ此ノ人民戦線運動ガ行ハレタノハ「仏蘭西」デアリマシテ今次ノ世界大戦ガ勃発スル迄数次ニ亘ッテ人民戦線内閣ヲ組織シ人民

戰線側議員ガ議會ニ多數ヲ占メテ其ノ勢力ガ旺盛デアリマシタ

又スペインニ於ケル二ケ年ニ亘ル内亂モ此ノ戰術ノ行ハレタ結果デアリマス

我國ニ於テハ昭和十二年頃「日本無産黨」ノ加藤勘十一派ニ依ツテ此ノ運動ガ展開サレマシタガ間モ無ク檢擧彈壓ニ遭ツテ潰滅シタト云フ事ヲ新聞等ニ依リ知リマシタガ其ノ詳細ナ事ハ知リマセン

十、問　我國ニ於ケル人民戰線運動ノ効果並ニ適否ニ關スル認識所見如何

答　前述ノ如ク我國ニ於テモ人民戰線運動ガ展開サレマシタガ所謂人民戰線戰術ハ共産主義運動ノ外廓運動又ハ其ノ擁護ノ爲メノ運動デアリマシテ其ノ根本ニ於テ共産主義ヲ放棄スルノデ無ク寧ロ其ノ強化ヲ圖ルノヲ目的トスルモノノ

デアリマス
然ルニ人民戦線運動ハ所謂民主々義的諸勢力ノ利用スル所ノデアリマスカラ我国ノ如ク歴史的ニ民主々義的勢力ガ弱ク且ツ今日ノ如ク民主々義的勢力ガ自由主義ノ後退或ハ拋棄トナツテ現ハレザルヲ得ナイ様ナ時代即チ国家主義ノ強烈ナル擡頭ヲ招来セル時代ニ於テハ国家主義全体主義ノ中ニ民主々義ヲ融合解消セザルヲ得マセン又其ノ政策ノミガ本来ノ民主々義者タルベキ、ブルジョア階級ノ生キ得ル唯一ノ道デアル時代ニ於テハ人民戦線運動ノ発展ノ客観的根拠ヲ欠イテ居ルト思フノデアリマス
即チ我国経済ノ全体トシテノ組織化新体制化ハ中小資本ノ隷属化ヲ強制シ此ノ事ハ従来我国ガ自由主義発展ト其ノ意識ノ不充分ナリシ事実ト相俟ツテ反抗ヨリモ寧ロ従属化ノ傾向ヲ強メ

ルノデアリマシテ斯ノ如キ國家ニ於テハ其
ノ本質ニ於テ共産主義ト抱合シ之ヲ助長スル
ガ如キ運動ハ國家權力ノ許サザル所デアリ又
一面國家ノ彈壓モ強烈ナリ人民戰線運動ガ
有效ニ展開サレル望ミハ將來ニ於テモアリマセン
況ンヤ其ノ運動ノ核心トナスベキ日本共産黨ガ
事實上潰滅狀態ニアル現在ノ樣ナ情勢下ニ於
テハ尚更ノ事デス

被疑者　田口右源太

右讀聞ケタル處無相違旨申立テ署名拇印シタリ

同日於青山警察署

警視廳特別高等警察部特高第一課

司法警察官
警視廳警部　川崎清次

司法警察吏
警視廳巡査　鈴木正

第五回被疑者訊問調書

被疑者　田口右源太

右者ニ對スル治安維持法国防保安法違反被疑事件ニ付東京刑事地方裁判所検事宮澤光三郎ノ命令ニ因リ昭和十七年二月十二日青山警察署ニ於テ司法警察官警部川崎清次ハ司法警察吏巡査鈴木正立會ノ上右被疑者ニ對シ訊問スルコト左ノ如シ

一、問　活動當時ニ於ケル客観情勢ト之ニ對処スベキ當面ノ任務ニ関スル認識所見如何

答　我国ノ客観情勢ハ昭和十四年欧州大戦ガ勃発セル頃ヨリ従来ニ比シ著シイ特徴ガ現レテ来タカニ見受ケラレタノデアリマス

即チ国内ノ「インフレーション」的好況ハ欧洲大戦ニ依ル世界的「インフレーション」ノ影響ヲ受ケテ急激ナル物價騰貴ノ傾向ヲ強メ「九・一八ストップ」令レ発布トナリ引續イテ全国的ナ公定

四・五

價格ノ設定トナリ應物價政策ノ強化トナッテ現レタノデアリマス
又従来上向線ヲ辿ッテ居タ重工業方面モ漸ク上向指數ガ停滞シ傾向ヲ示スカニ見エ初メタノデアリマス
即チ欧洲大戦ハ資材ノ輸入難ヤ市場ノ狭隘性ヲ来シ我国産業ニ好影響ヲ與ヘザルノミカ却ッテ悪結果ヲ齎ス状態デアリマシタ
又此ノ頃ニ至ッテ漸ク物資ト労働力ノ不足ガ表面的ニ見ラル、ニ至リ食糧ノ不足モ見エ初メタノデアリマス
日支事変ハ此ノ頃長期戦ノ明瞭ナル段階ニ入リ英国ニ代ル米国ノ支那支援我国ニ對スル経済的圧迫モ亦顕著トナッテ参リマシタ
斯ル情勢下ニ於テ政治的方面ニ於テモ新タナル体制ノ必要ガ感ゼラレ全体主義的国民ノ再

組織ガ強ク要望セラルルニ至ツタノデアリマス

之ヲ概観スルニ過度ノ生産力拡充ハ、軽工業中小商工業農林ノ資材ヲ犠牲ニ供シテ行ハレタノデ之等ノ部面ニ於テハ摩擦、動揺、不平不満等ガ見受ケラレタノデアリマスガ之等諸困難ノ原因ハ要スルニ日支事変ノ長期化ト国際情勢ノ変化ノ「テンポ」ガ急速ナル為メデアッテ之ニ対応スル諸政策ノ立遅レト統制技術ノ不手際ニアッタノデアリマス

食糧問題ノ表面化ハ偶々鮮米ノ不作ニ依ッテ生キタノデアリマスケレドモ府県「ブロック」ヤ配給組織ノ不適当モ亦其ノ大ナル原因デアッタト思ヒマス

然ルニ重工業方面ニ於テハ重点主義ノ励行、中小工業ノ整理統合配給部面ノ組織編成替等ニ依リ漸次之等ノ諸困難ハ打開セラルル、ノ光景ヲ呈シス

ツヽアリマシタ即チ我国産業ヲ全体トシテ観察スルニ重工業ノ確立発展ハ軽工業ト比シ重ニ変化ヲ来シ我国工業ノ性格ハ重大ナル変化ヲ遂ゲツヽアツタノデアリマス

之ガ社会的現象ハ表面的ニハ多クノ困難ト不安動揺等ガ見ラレタノデアリマスガ其ノ本質ニ於テハ却ツテ其ノ強固サヲ加ヘルノ状態ニアツタノデアリマス

即チ重工業鉱山方面ハ所謂殷賑産業トシテ活況ヲ呈シ労働力ノ給与状態モ良好デアリ農林ニ於テハ資材並ニ労働力ノ不足等ヨリ多少ノ困難ト不平不満ハアリマシタガ農家ノ收入ハ事変前ニ比較シテ却ツテ増加シ生産ハ安定ヲ示シテ居タノデアリマス

政界方面ニ於テハ全体主義ノ傾向ハ益々強マリ大政翼賛会等ノ組織ト相俟ツテ国家主

義ハ非常ナル強国、サラ加ヘテ参ッタノデアリマス。又外交方面ニ於テモ三国同盟ノ締結ハ我国外交方針ノ確立ヲ示シ益々之ヲ強化シテ鋭ク米英ト対立シテ参リマシタガ、此ノ事ニ依ッテハ日支事変ノ急速ナル解決ハ不可能デアッテ直接東亜ニ関係ト実勢力ヲ有スル英米トノ関係ニ於テ之ヲ解決セネバナラヌ状態トナッタノデアリマス

然ルニ事変ノ進展ハ短期戦ヨリ長期戦ヘ、暴支膺懲ヨリ東亜新秩序東亜共栄圏ト拡大シ南部仏印進駐トナルニ及ンデ亜米利加ノ資金凍結令ノ発布トナリ次デ英蘭ノ同様ノ処置トナッテ所謂ABCDハ我国包囲陣ノ結果攻撃トナッタノデアリマス

茲ニ於テ我国トシテハ外交ノ全面的打開ヲ図ルノ必要ニ迫ラレ所謂近衛ニメッセージトナリ日

3

ハ農村ニ生産者トシテノ立場ニテ収入ハ増加ヲ見シ多クノ資材ノ欠乏ニモ拘ラズ農林インフレノ結果ヲ招来スルノ有様デアリマシタ即チ経営界ハ基幹的殷賑産業ノ好況面ト不急産業ノ不況面ト凸凹状態ヲ示シテハ居リマスガ其ノ矛盾ハ逐次整理セラレツヽアツタノデアリマス

「インフレーション」ノ進行ト物資ノ不足ハ消費面ニ於テ幾多ノ不安動揺ヲ示シテハ居リマスガ之ハ国民生活ノ低下ニ依ル我国資本主義ノ變化ノ一現象ニ決シテ致命的ナル性質ノモノデハ無イト思ハレルノデアリマス、例ヘバ食糧ノ不足等ハ独逸等ト異リ打開方策ガ存在シ又繊維品ノ不足ハ国防資材獲得ノ為メノ政策ノ現レデアツテ之亦耐ユベカラザル程度ノモノデハアリマセン

前述セル経済ノ本質的傾向ハ政治的ニハ国家権力ノ強化ト全体主義化ニ拍車ヲ加ヘ愈々強大トナルノ有様デアッタノデアリマス

即チ戦争ノ我国ニ齎セル影響ハ資本主義ノ営利性弱化ヲ伴ヒ乍ラ国家ニ抱合セラレ其ノ本質ニ於テ強大化、組織化、計画化セラル、経済ノ全体主義ヲ招来シ政治的方面ニ於テモ国家権力ノ全体主義的強大化ハ未ダ曾テ見ザル状態デアリマス

以上ノ如ク我国政治経済社会等諸般ノ情勢ハ其ノ表面又ハ部分的ニ幾多ノ不安動揺アルニ拘ラズ去年ノ状況ハ政治経済ノ再編成ノ為メデアッテ行詰リノ為メデハ無ク之ヲ換言スレバ現象形態デアッテ本質デハ無イノデアリマス

其処デ以上ノ如キ客観情勢ニ対処スベキ当面

ノ任務デアリマスガ斯カル客観情勢ノ下ニ於テハ共産主義ノ運動ハ可能デハアリマスガ意味ヲ有セヌト思フノデアリマス

何故ナレバ現在ノ様ニ国家権力ガ強大デ取締機構ノ完備ト相俟ツテ弾圧ノ激シイ今日ノ状態ノ下ニ於テハ些サノ共産主義運動モ直ニ検挙弾圧セラレテ成功ノ見込ガ無イ許リデ無ク運動ノ存シ得ル餘地ガ無ク又共産主義運動ヲ展開シテモ今日ノ如キ状勢下ニ於テハ第一大衆ヲ獲得スルコトガ出来ズ却ツテ反對ニ大衆ノ支持ヲ失ヒ共産主義運動ノ潜勢的地盤迄モ失フノ逆効果ヲ招来スルノミデアルカラデアリマス

即チ客観的情勢ノ表面的局部的不安ヤ動揺ヲ一ツノ現象ト見ズニ之ヲ本質ト見誤リ我国経済ノ崩壊ト見ルガ如キハ希望的観測デア

ツテ事實ノ本質ヲ認識セザル見解デアルカラデアリマス

從ツテ當面我國ニ於テ共産主義ノ運動ヲ展開スルガ如キハ小児病的見解デアツテ寧ロ隠忍自重静観的態度ヲ持シ時局ノ推移ヲ見守リニツ、時期ノ到来ヲ待ツ事ノ方ガ却ツテ現實的デアリ堅明ナ策デアツテ客観的妥當性ヲ有スルモノト信ズルノデアリマス

二、問答

被疑者ガ今次事件ニ関係スルニ至リタル経緯並ニ其ノ目的ヲ述ベヨ

私ガ今次ノ事件即チ諜報活動ヲ通ジテノ共産主義運動ニ関係スルニ至ツタ経緯並ニ其ノ目的ハ次ノ通リデアリマス

(1) 経緯並ニ目的

私ハ昭和十四年七月カラ樺太大泊町デ海産物ノ販賣業ヲ経營シテ居タノデアリマスガ當6

時在京中ノ三、一五事件時代ノ友人

山名正實

等ガ東京ニ事實上ノ創立事務所ヲ設ケ滿洲ニ於テ採炭事業ヲ計画シテ其ノ事業ガ將来有望ダカラ一緒ニ其ノ事業ニ参加スル様ニトノ山名等ノ招請ニ應ジテ其ノ事業ニ從事スル目的ノ下ニ昭和十四年十一月家族ヲ伴ツテ上京シ三、一五事件當時ノ知合デアル

東京市四谷區坂町又五番地

九津見房子

方ニ同居スル様ニナツタノデアリマス

其後間モ無ク山名ハ中野區鷺山町カラ前記ノ私方ニ移轉シ同居スル様ニ成リマシタ當時私ノ居タ九津見房子宅階下四疊半ノ室ニ油絵ノ額ガ掲ゲラレテアリ或日私ハ其ノ額ヲ見テ九津見ニ之ハ誰ガ書イタノデスカト

ネマシタ処ニハ
宮城與徳
トイフ人ガ書イタノデストイ答ヘ更ニ「九津見」ハ「宮城」トイフ人ハ私ノ友人デ繪ハ亜米利加デ修業シ「パステル」ハ日本デモ認メラレテ居ル位有名デストイヒマシタノデ私ハ初メテ「九津見」ノ友人ニ「宮城與徳」ナル亜米利加帰リノ画家ノアル事ヲ知ツタノデアリマス

一方「山名」モ「宮城」トハ其レ以前カラ親交ノ間柄ニアツタラシク昭和十四年十二月中或日
前記ノ自宅デ「山名」カラ
「宮城與徳」ガ日本ノ政治経済軍事等ニ関スル各種ノ情報ヲ蒐集スル仕事ヲシテ居ルガ「宮城」ハ亜米利加デ労働運動ヲシタ事ノアル者デアル
君モ宮城ノ仕事ヲ手傳ツテハ如何
トノ話ヲ聞カサレマシタ

タ

私ハ「山名」ニ對シ即座ニ同意セル旨返答致シマシタガ其ノ時私ハ胸中「宮城」ガ「ソヴエート」関係ノ機関ニ右ノ情報ヲ提供シテ居ルモノナル事ヲ感知シタノデアリマシテ其レハ「コミンテルン」デアルカ又ハ「ソヴエート」国家機関デアルカ等ノ事ハ判然判リマセンデシタガ私ニ取ツテハ其レ等ノ事ハドチラデモ差支ナイト考ヘタノデアリマス

然シ又一面「ソヴエート」ノ国家ガ「コミンテルン」ノ国家ガ「コミンテルン」ト表裏一体又ハ一心同体ノ関係ニアリ又其ノ構成分子モ殆ンド同一デアル等ノ関係カラ終局ニ於テ其ノ情報ハ「コミンテルン」ニモ通報セラルヽモノト考ヘタノデアリマス

其レハ「宮城」ガ亜米利加ニ於テ労働運動ヲシテ居タト云フ事及共産主義者デアル「山名」ヤ「九津見」ノ友人デアル等ノ関係カラ斯ク察知シタ

而シテ私ハ右ノ情報ヲ「宮城」ニ提供スル事ハ過去ニ於テ自分達ガヤツタ共産主義運動ト其ノ軌ヲ一ニスルモノデアツテ其ノ目的ニハ何等変リ無ク、其ノ情報ハ「コミンテルン」ニ對シテハ直接日本共産党ニ對シテハ間接的ニ其ノ目的達成ニ役立ツモノデアルト考ヘタノデアリマス

即チ私ハ従来我国ニ於ケル共産主義運動ハ現在ノ客観情勢ヨリシテ無意味デアリ寧ロ実行不可能ナリト考ヘテ居リ従ツテ「山名」カラ前述ノ活動ヲ聞ク迄如何ナル共産主義運動ニモ関係致シマセンデシタガ偶々上京シテ旧同志タル「山名」ヤ「九津見」等ト接触シ「山名」カラ前述シタ「宮城」ノ話ヲ聞クニ及ンデ共産主義思想ヲ清算シテ居ラナカツタ為メ之ヲ客観情勢ニ即応スル唯一ノ共産主義運動ナリト考ヘ「山名」ノ依頼ニ応ジテ即座ニ右ノ情報ヲ「宮城」ニ提供スル事ヲ決意シタノデアリマス

其ノ後昭和十四年十二月中「宮城」ガ前記「九津見」方
ニ参リマシタ時階下六畳ノ茶ノ間デ「九津見」カラ
「此ノ方ガ宮城サンデス」ト云ツテ紹介サレ初メテ
「宮城」ト知合ニ成ツタノデアリマス
其後私ハ「宮城」ト交際ヲ續ケ其ノ頃
芝區琴平町三番地虎門會館ニ事務所ヲ有スル
「時政會」
（評論家矢部周ノ主宰スル宇垣一成大將支持
ノ新聞記者等ノ会合場所）
其ノ他カラ政治外交経済軍事等ニ関スル各種
ノ情報ヲ探知蒐集シテ之ヲ「宮城」ニ提供シタノデアリマス
ガ此ノ諜報活動ハ「コミンテルン」及日本共産党ノ目的達成
ヲ援助シ之ニ協力スル共産主義運動デアルト共ニ我国ノ国防
上ノ利益ヲ害スベキ用途ニ供セラルヽモノデアルト云フ事ハ
充分ニ承知シテ居リ從ツテ其ノ目的ノ下ニ各種ノ情報ヲ
「宮城」ニ提供シタノデアリマス

被疑者　田口右源太

右讀聞ケタル処無相違旨申立テ署名拇印セリ

警視庁特別高等警察部特高第一課

司法警察官

警視庁警部　川崎清次

司法警察吏

警視庁巡査　鈴木正

第六回被疑者訊問調書

被疑者 田口右源太

右者ニ對スル国防保安法治安維持法違反被疑事件ニ付東京刑事地方裁判所檢事玉澤光三郎ノ命令ニ因リ昭和十七年二月十四日青山警察署ニ於テ司法警察官警部川崎清次ハ司法警察吏巡査鈴木正立會ノ上右被疑者ニ對シ訊問スルコト左ノ如シ

一問 被疑者ガ前記目的ノ下ニ「宮城與徳」ニ提報シタル情報ノ内容並ニ其ノ探知蒐集先等ノ関係ハ如何

答、 私ガ前述ノ目的ノ下ニ

宮城與徳

ニ提供シタ情報ノ内容並ニ其ノ探知蒐集先及之ヲ提報シタ場所等ハ次ノ通リデアリ以下年月日順ニ其ノ

(一) 關係ヲ申上マス

昭和十五年三月頃 ―

四谷區坂町七五番地ノ自宅デ

(1) 支那事変ノ解決方策ヲ繞ル政府及軍部ノ動向並ニ宇垣外相辞職ノ眞相

「支那事変ハ斯ク長期化セズニ短期解決ノ方策ガアツタノデ例ヘバ宇垣大将ガ外務大臣デアツタ時孔祥熙ト連絡シテ彼ヲ東京ニ招聘スルコトニナリ閣議モ之ヲ決定シテ海軍ハ軍艦ヲ出ス手筈迄整ヘタルニ不拘其ノ翌日陸軍側ガ之ニ反對シタ為メ遂ニ中止トナリ為メニ宇垣ハ斯ル状態デハ外相ノ職責ノ遂行ハ不可能デアルト憤慨シテ辞職サレタノデアツテ宇垣ノ外相辞職ハ決シテ世間デ言フ様ナ興亜院問題デハ無イ」

(2) 外米輸入ト食糧問題

一

四六

内容

一今政府ハ盛ンニ外米ヲ輸入シテ居ルガ外米ハ最初非常ニ安クテ一石四、五圓デアツタガ其後段々高クナツテ一石三十四、五圓トナツテ仕舞ツタ之ハ相手國デアル泰、佛印等ガ日本ノ逼迫シタ米穀事情ノ足下ヲ見抜イテ其レニ附ケ込ンダノト英國ノ買占妨害ニモ基因スルモノデアルガ外米ノ輸入モ思ハシク行カズ其レニ昭和十五年度ニ於ケル我國ノ米穀收穫ノ予想高ハ肥料及労力不足等ノ為メ平年作ノ八割五分ニ達スレバ良好デアルト農林省ノ有力ナ某技師ガ言明シタサウダ從ツテ端境期ニハ前記外米輸入ノ困難ナ事情ト相俟ツテ食糧問題ハ相當困難ニ陥ルダラウ

ト云フ事ヲ提報致シマシタ

(1)ノ事項ハ前述シタ

時政會

四ノ六

2

デ一般政治談議ノ際
評論家　矢部　周
カラ聴イタモノデアリ
(2)ノ事項ハ矢張リ　時政會
デ一般政治経済ニ関スル雑談ノ際仝所ニ出入
シテ居タ
産業組合時報記者
恒次東洋雄
カラ聴イタノデアリマス
時政會ノ性格ニ就テハ前述シタ通リデアリマスガ
私ガドウ云フ理由デ時政會ニ出入スル様ニ成ツタ
ガト申シマスト私ハ三、一五事件ノ刑デ網走刑務所ニ
服役中矢張リ三、一五事件ニ連座シテ仝刑務所ニ服
役シテ居タ、仝郷ノ早稲田大学出身
伏見武夫
ト云フ人ト知合ニ成リ以来友人トシテ交際ヲ続ケテ

居リマスガ此ノ「伏見」ガ時政會創立ノ一人デアルノデアリマス昭和十年頃私ハ王子製紙株式會社所有ノ立木拂下ゲテ問題ニシテ上京シタ際前記伏見ノ紹介デ時政會ノ主宰者

矢部周

ニ會ヒ之ガ拂下運動ヲ依頼シタ事ガアリマスガ之ガ時政會ニ出入スル様ニ成ツタ始リデアリマス
其後私ハ商用デ上京スル度毎ニ時政會ニ立寄ツテ伏見ヤ矢部ニ會ツテ居リマシタ
處ガ昭和十四年末満洲ニ於テ泥炭採掘ヲ事業トスル

大東亜興業株式會社

ガ創立セラルヽ事ニ成リ私モ樺太カラ呼バレテ此ノ事業ニ參加スル事ニ成ツタノデアリマスガ此ノ大東亜興業株式會社ノ創立メンバーハ時政會員デアル矢部周ガ其ノ有力ナ者ノ一人デアツタ關係上時政會ヲ前記會社ノ事實上ノ創立事務所ニシタノデ自然私ハ其處ヘ出入スル様ニ成ツタノデアリマス

田ノ六

又會社ノ設立作モ時政會ガ大東亜興業株式會社ノ東京出張所ニ來ツタノデ私ハ其ノ仕事ノ爲メ毎日ノ樣ニ時政會ニ出入シテ居リマシタ

時政會ハ前述シマシタ通リ新聞記者等ノ會合場所デアリマスノデ常ニ政治、經濟、外交、軍事等ニ關シ新聞等ニ發表サレナイ所謂楽屋話、内幕或ハ其ノ真相等ノ談話ガ交サレテ居リ時政會員其ノ他各種ノ情報ヲ持寄ッテ良ク政治談議ヲシテ居リマスノデ其ノ處ニ出入スル事ハ極メテ自然ノ裡ニ各種ノ情報ヲ入手スル事ガ出來テ宮城ニ情報ヲ提供スルニ就テハ良キ材料ノ蒐集場所デアッタノデアリマス

尚私ガ宮城ニ第一回ノ情報ヲ提供シタ時ハ宮城カラ時政會ニ行ッタナラバ然ウ云フ話ヲ良ク氣ヲ附ケテ聽イテ來テ呉レト言ハレマシタノデ私ハ一層彼等ノ話ニ氣ヲ附ケテ聽イタノデアリマス

當時ハ時政會ノ「メンバー」ハ

評論家　矢部周

都新聞政治部長　伏見武夫
報知新聞政治部記者　佐野増彦
東京日々新聞政治部記者　秋定鶴造
産業組合時報記者　恒次東洋雄
東京憲兵隊附憲兵准尉　山口清馬
等デアリ時政會ニ於ケル情報ハ主トシテ之等ノ人達
カラ入手シタノデアリマス

（二）

(3) 昭和十五年五月頃前記自宅デ
新國民政府承認問題ニ関スル阿部特命全権大使ノ
派遣ト政府ノ動向

内容

「阿部信行大将ガ新國民政府ノ承認問題ニ関シ
特命全権大使トシテ派遣セラルヽ際今大使ハ軍方面
ニ對シテ「今度ハ様子ヲ外サヌ様ニ」（阿部大将
ハ其レ以前ニ最初軍ノ支持ニ依ッテ総理大臣トナ
リ内閣ヲ組織シタガ其ノ後軍ノ支持ヲ失ヒ遂ニ総

田ノ六

×

辞職ノ已ムナキニ至ッタ為メ之ヲ意味スルモノデアスレド
予メ諒解ヲ得テ出發シタノニ今大使ガ南京ニ到
着后モ日本政府ニ對スル正式承認ノ模様ナク其ノ
為メ今大使ハ實ニ煩悶ノ日ヲ送ラレタ由デアル之ハ
日本政府ガ當時重慶政府トノ直接交渉ヲ諦メラレ
ズシテ重慶トノ交渉ヲ継續シテ居タ為メデアル
ケレドモ結局今政府トノ直接交渉ハ纏マラズシテ遂
ニ國民政府ノ承認トナッタノデアル」
ト云フ情報ヲ提供シマシタ
之ハ時政會デ

矢部周
佐野増彦

ノ二人カラ聴イタノデアリマス
私ハ昭和十五年五月初旬大東興業株式會社ノ泥炭
採掘事業實地視察ノ為メ滿洲ヘ旅行スル事ニ
成リ出發ノ直前ニ赤坂区溜池米國大使館前ニ在
ル「アメリカンベーカリー」
ト云フ西洋料理店デ「宮城」ト會食シマシタ
ガ其ノ時「宮城」ハ私ニ向ッテ「滿洲ヘ行ッタナラ

バ向フノ事情モ良ク調査シテ来テ呉レ
ト依頼サレマシタ
私ハ昭和十五年五月初旬東京ヲ出発シテ渡満シ奉
天、新京、ハルピン、安東等ヲ旅行シテ今年七月下旬
帰京致シマシタガ其ノ間會社ノ用務傍々前記「宮城」
ヨリノ依頼ニ依ツテ満洲ニ於ケル色々ナ事情ヲ調査シ
帰京后之ヲ「宮城」ニ提報致シマシタガ其レハ次ニ申
上ル様ナ事項デアリマス

(三) 昭和十五年八月頃
麻布区竜土町二八番地宮城宅

デフ

(イ) 満洲国ニ於ケル雑穀ノ出廻状況

内容

「大豆ノ出廻リガ極メテ不良デアル、其ノ理由ハ公定
価格ノ設定ガ安過ギル為メデアツテ満洲ノ五大
市場（ハルピン、奉天、新京、大連、安東）ニハ全然出廻ヘ

四ノ六

蒐荷サレテ居ナイ其ノ結果豆糟ノ製造高ハ平年ノ二割位迄ニ低下シテ居ル」

(5) 満洲國ニ於ケル石炭ノ採掘状況

内容

「満洲ニ於ケル石炭ノ採掘量ハ支那人苦力ノ不足ト移動率ガ三十割ニモ達スル為メ非常ナル減少ヲ来シ鞍山製鉄所ノ熔鉱鑪ノ一基ニハ火ヲ入レル事ガ出来ナイ様ナ状態デアル」

(6) 満洲國駐屯ノ兵力

内容

「現在（其ノ当時）満洲國駐屯ノ兵力ハ約六十萬人デアル」

以上(4)(5)(6)ノ内容ハ私達ト一緒ニ大東興業株式会社ノ事業ヲヤッテ居タ会社ノ重役

大西　勇

ト云フ人カラ探知シタノデアリマシテ此ノ大西ト云フ人ハ、元関東州ノ警察官デ満洲國建設ノ功労者デアリ非常ニ満洲國ノ事情ニ精通シテ居ル人デアス

(ク) 支那事変ノ影響ニ依ル満洲開発事業ノ頓挫ニ基ク状況

内容

(イ)「支那事変ノ影響ニ依リ満洲國政府ハ諸事業ニ事業計画縮少ノ結果鴨緑江ノ水力発電工事ガ中止ノ已ムナキニ至リ従ツテ「アルミニユーム」ノ生産ニ一大齟齬ヲ来スニ至ツタ」

(ロ)「奉天鉄西地区ノ工業地帯ハ一見宏大デ盛大ノ様デアルガ資材労力等不足ノ為メ約四割ハ運転不能ニ陥リ恢復ハ不可能デアラウ」

(ハ)「新京ニ在ル満洲重工業株式會社ノ参加子會社ハ資材難ノ為メ多クノ事業ノ円滑ヲ欠キ従ツテ會社ハ多数ノ従業員ヲ擁シナガラ整理モ行ヒ得ズ又予定ノ事業モ

6

四ノ六

蒐荷サレテ居ナイ其ノ結果豆糟ノ製造高ハ平年ノ二割位迄ニ低下シテ居ル」

(5) 満洲国ニ於ケル石炭ノ採掘状況

内容

「満洲ニ於ケル石炭ノ採掘量ハ支那人苦力ノ不足ト移動率ガ三十割ニモ達スル為メ非常ナル減少ヲ来シ鞍山製鉄所ノ熔鉱鑪ノ一基ニハ火ヲ入レル事ガ出来ナイ様ナ状態デアル」

(6) 満洲国駐屯ノ兵力

内容

「現在（其ノ当時）満洲国駐屯ノ兵力ハ約六十萬ニテアル」

以上(4)(5)(6)ノ内容ハ私達ト一緒ニ大東興業株式会社ノ事業ヲヤッテ居タ同会社ノ重役

大西勇

ト云フ人カラ探知シタノデアリマシテ此ノ大西ト云フ人ハ元関東州ノ警察官デ満洲国建設ノ功労者デアリ非常ニ満洲国ノ事情ニ精通シテ居ル人デス

(ヲ)支那事変ノ影響ニ依ル満洲開発事業ノ頓挫ニ其ノ状況

内容

(イ)「支那事変ノ影響ニ依リ満洲国政府ハ豫算並ニ事業計画縮少ノ結果鴨緑江ノ水力発電工事ガ中止ノ已ムナキニ至リ従ッテ「アルミニューム」ノ生産ニ一大齟齬ヲ来スニ至ッタ」

(ロ)奉天鉄西地区ノ工業地帯ハ一見宏大デ盛大ノ様デアルガ資材労力等不足ノ為メ約四割ハ運転不能ニ陥リ恢復ハ不可能デアラウ」

(ハ)新京ニ在ル満洲重工業株式会社ノ参加会社ハ資材難ノ為メ多クノ事業ノ円滑ヲ欠キ従ッテ会社ハ多数ノ従業員ヲ擁シナガラ整理モ行ヒ得ズ又予定ノ事業モ

行ク事ガ出来ズ其ノ上確タル見込モ立タナイノデ殆ンド遊休状態デアル」

（ニ）「安東市大東溝ノ築港工事及安東カラ大東溝ヲ経テ成子瞳ニ至ル鉄道ノ敷設工事モ中止ト成ツタ為メ安東市ヲ中心トスル大工業計画ハ無期延期ノ状態ニナリ生産拡充計画ハ非常ナ蹉跌ヲ来スニ至ツタ」

（ホ）東辺道株式会社ノ如キハ鉱脈ノ表面ハ歩溜リ（有効鉱物ノパーセンテージ）良好ナルモ内部ニ至ルニ従ツテ質ガ不良デ当初ノ見込ハ外レ石炭、鉄、鉛等ノ産出ハ最初ノ計画通リ行ハレナイダラウ」

（8）満洲国ニ於ケル集団移民ノ状況

内容

「満洲国ニ於ケル集団移民ハ最初ノ計画通リ進捗シテ居ナイ其レハ移民ガ満人農法ニ不得手ナ為メ現在ハ規定ノ十町歩ヲ耕作スル事ガ出来ナイ様ナ状態デ地主的ナル傾向ガ強ク満人ヲ小作人トシテ段々自作農

ダル、機能ヲ喪失シツヽアル其レニ満人ヲ雇フ時ハ日給
高ノ為メ採算ガ取レズ難澁ヲ極メテ居ル
以上(7)(8)ノ事項ノ内容ハ満洲デ前記

大西　勇

及大東興業株式會社取締役

中山　某

カラ探知シタノデアリマス

(9) 撫順炭山ノ採掘状況

内容

「撫順炭山ハ昭和七年頃迄ハ不景氣経営困難時代
其レカラ昭和十五年迄ハ拡張時代デアルケレドモ産出
絶対量ハ増大シナイ昭和十五年ハ所謂停滞期デアリ
十五年度ノ出炭予定量ハ約一千萬噸デアル」
ヲ報告シテヰタ

此ノ(8)ノ事項ハ大東興業株式會社デ錬炭工場経営ノ計画
ガアッテ其ノ技術的指導ヲ受ケル為メ

田ノ六

山名正実
中山某
宮越某
ノ三人ト一緒ニ撫順炭山事務所ニ赴イタ際会事務所ニ居タ
ナル技手カラ探知シタノデアリマス

（四）
(10) 昭和十六年一月頃前記宮城宅デ
星野直樹（企劃院総裁）ノ渡満ト瀆職問題（風説）
内容

「昭和十五年ノ暮ニ星野直樹ガ急遽渡満シタノハ仝氏ガ満洲国総務長官在任当時ニ於ケル満洲大豆公定価格ノ設定ニ絡ム瀆職事件ノ揉消運動ノ為メデアル

其レハ仝氏ガ満洲国総務長官在任当時大豆ノ公定価格設定ニ当リ当時ノ市価ヨリ約二割方安ク設定シタ

處ガ其ノ公定価格ノ設定ガ餘リニ安カツタ為メ当時ノ

満洲國農務大臣張某ハ斯様ニ不当ナ價格デハ大豆ノ出廻リニ澁滞ヲ来ス虞ガアルカラ公定價格ノ修正ヲシテ貰ヒ度イト要望シタ然ルニ星野氏ハ之ヲ肯ンナイデ自己ノ意志通リニ決定發表シタ
處ガ其後大豆ノ出廻状況ハ張農務大臣ノ主張通リ極メテ不良ナ結果ヲ招来シタ為メ満洲國政府ハ狼狽シテ急ニ百斤ニ付約二元方値上ヲ決意發表シタガ既ニ時期ヲ失セシ依然トシテ其ノ出廻リハ不良デアッタ
此ノ間ニ星野氏ハ知人ヲシテ最初ノ低廉ナ公定價格時代ニ大量的ニ買占メテ置キ値上ト同時ニ之ヲ売却シテ莫大ナ利益ヲ得タトノ風説ガアッテ前記張農務大臣ハ之ガ為メ其ノ不徳ニ就テ星野氏ヲ面罵シタ星野氏ハ却ッテ張農務大臣ヲ罷免シテ仕舞ッタ
然ルニ張農務大臣ハ満洲國官吏ノ間ニ信望ノ厚カッタ人デアッタ為メニ今氏ノ罷免事件ハ満洲系官吏間ニ意外ナ反響ヲ呼ヒ起シ其ノ處置ニ對スル不満ハ漸次

8

四ノ六

拡大シテ遂ニ彼等ノ間ニ怠業状態ヲ現出スルニ至ツタ
此ノ風説ハ満洲ヨリデハ殆ンド公然ノ秘密トシテ流布サレテ居ル状態デアル
其後星野氏、企画院總裁ニ就任セラレタ時其ノ不徳行為ニ對シテ満洲國ノ司法當局ハ日本司法當局ノ同意ガアルナラバ星野氏ヲ検挙シヤウトシテ日本側ニ照会シタラシク星野氏ハ其レニ驚イテ其ノ揉消運動ノ為メニ急遽渡満シタノデアル
ト云フ事ヲ提報シマシタ
之ハ其ノ頃財政會デ大東興業株式會社々長
坂内孝一
カラ聴イタノデアリマス

(五)
(11) 昭和十六年三月頃芳記自宅デ
英、米関係ノ緊迫化ト鉄ノ問題
内容
英、米関係ハ緊迫化ニ伴ツテ両國ノ經濟斷行アル場合
鉄ノ問題ハ従来軍需ニ三分ノ一生産力拡充方面ニ三分ノ

一ヲ克服シテ居ルガ米國ノ屑鉄禁輸ノ結果ハ
鉄ノ需用ノ約四割ヲ失フコトニナリ其ノ上軍需ハ
今後益々増大ノ見込デアルカラ生産力擴充ニモ
相當大キナ影響ヲ齎スニ至ルベク從ッテ今後鉄ノ
増産ハ萬難ヲ排シテ行ヒ民間所在ノモノモ回収
スル方針ダソウダ」

(12)

東郷、モロトフ會談（ハ對露交渉問題）ノ内容

内容

「對支交渉ニ就テロシヤ側ノ要求ハ北支ノ現状維持日
本側ノ要求ハ援蒋行為ノ打切デアッタガ其ノ他ノ条
件側ヘハ日本側ノ北樺太買収ニ對シロシヤ側ハ南樺
太ノ買収ヲ要求シ又ロシヤ側ハ北鮮三港ノ解放ヲ
要求スルト共ニ浦塩ヨリ鉄道ノ敷設方ヲ要求スル
等ノ乱暴ナ要求ガアッタ為メ遂ニ交渉ハ打切トナ
ツタノデアル

四ノ六

9

ヲ提報シマシタ
(11)ノ事項ハ時政會デ伏見武夫カラ
(12)ノ事項ハ矢張リ時政會デ矢部周カラ聴取シタノデアリマス

(六)

昭和十六年四月頃前記宮城宅デ

(13)樺太方面ニ於ケル軍備ノ施設状況

内容

下 樺太敷香方面デ土木工事ガ頻繁ニ施行サレテ居タガ此ノ工事ハ大敷香方面カラ國境ニ至ル方向デ行ハレ兵舎等ヲ築造シタモノ、様デアル

昭和十五年カラ十六年ニ亘リ樺太ヘハ軍用物資ノ輸送ハ極メテ盛ンデ大泊桟橋ハ連絡船ノ為メノ若干ノ時間ヲ除イテハ一般ノ交通ヲ禁止シ列車ハ夜間客車迄モ使用シテ軍用品ヲ運搬シテ居ルモノ、様デ一般人ノ樺太ヘノ旅行ハ極メテ不自由ニ成ツタ」

ヲ提報シマシタ
之ハ自分ノ實地視察ト樺太ニ居ル友人ガ上京シタ時聽イタ事デ前半ハ私ガ昭和十四年頃鱒買ノ為メニ樺太ヘ行ツタ時ニ實際ニ見タ事デアリ後半ハ海産物「ブローカー」

小西幸
吉田恭治

ノ二人ガ昭和十六年四月上京シタ際此ノ二人カラ聽イタノデアリマス

(七)

(14)昭和十六年六月頃芳記自宅デ
芳澤大使ノ蘭印トノ交渉問題
内容
「邦人ノ所有权、定住权ハ不承認デアツテ石油ハ八百萬噸ノ要求ニ對シテ二百萬噸程度ノ承認ヲ得タノミデ交渉ハ決裂ニ終ツタ」
ヲ提報シマシタ

四ノ六

10

之ハ其ノ頃時々政會デ
カラ聞イタノデアリマス

伏見武夫

被疑者 田口右源太

右読聞ケタル処相違ナキ旨申立テ署名拇印シタリ

同日於青山警察署

警視庁特別高等警察部特高第一課

司法警察官

警視庁警部 川崎清次

司法警察吏

警視庁巡査 鈴木 正

第七回被疑者訊問調書

被疑者　田口右源太

右者ニ對スル治安維持法国防保安法違反被疑事件ニ付東京刑事地方裁判所検事玉澤光三郎ノ命令ニ因リ昭和十七年二月十六日青山警察署ニ於テ司法警察官警部川崎清次ハ司法警察吏巡査鈴木正立會ノ上右被疑者ニ對シ訊問スルコト左ノ如シ

一、問　引續キ「宮城」ニ提供シタ情報関係ヲ述ベヨ

答　本月ハ北海道方面ノ情報ヲ提供シタ関係カラ申上マス

(八)昭和十六年六月中旬頃前記自宅デ

(イ)北海道方面ニ於ケル飛行場ノ名称及所在地ヲ「宮城」ニ教ヘマシタ

其レハ其ノ頃「宮城」ガ私ノ家ニ參リマシタ時「宮城」カラ北海道ニハドンナ飛行場ガアルカト尋ネラレマシタノデ私ハ「宮城」ガ持ツテ居タ用箋ニ北海道ノ略圖ヲ書キ之ニ當時私ガ知ツ

日、七

テ居タ飛行場ノ名称ト其ノ所在迄ヲ書イテ
渡シタノデアリマス
千歳飛行場
厚岸飛行場
札幌飛行場
美幌飛行場
樺太ノ内路飛行場
デ尚千島ノ何処カニモアル筈ダト言ツテ置
キマシタ
右ノ飛行場ノ名称並ニ其ノ所在地等ハ私ノ
御里ガ北海道デ今迄ズツト北海道樺太方面ニ
ンデ居タノデ以前カラ知ツテ居タノデア
リマス
私ハ昭和十六年六月ト八月ノ二回ロープ原
料ノ商用デ御里北海道ニ出張シマシタ
此ノ時ハ別ニ「宮城」カラ何等ノ依頼モ受ケ
マセンデシタガ右ノ旅行中「宮城」ニ提供スル

情報ノ関係ニ就テ気ヲ附ケ友人等カラ北海道方面ノ色々ナ事情ヲ調査視察シテ帰リ之ヲ「宮城」ニ報告シタノデアリマシテ其レハ次ノ通リデアリマス

(九)
昭和十六年六月下旬頃前記宮城宅デ

(16)
夕張炭山ノ採堀状況

内容

「北海道ノ夕張炭山ハ増産ガ順調ニ行ハレテ資材モ多ク又坑夫ニ対スル待遇モ良好デ年産額ハ約三百万噸ニ達シテ居ル」

此ノ内容ハ

北海道札幌市南三条西九丁目遠藤方居住ノ旧同志タル　金興坤

カラ探知シタノデアリマシテ同人ハ元北海道ノ炭山ニ働イテ居ル頃鮮人労働者ノ監督ノ様ナ仕事ヲシテ居タ事ガアルノデ炭山ノ状況ヲ良ク知ツテ居タノデアリマス

2

四、七

(17) 北海道ノ農作物ノ状況

内容

「北海道ニ於ケル農作物ハ數十年來見ナイ不
作デ水田ハ播種后降霜ノ為メ蒔直シタ
ガ不充分デ今後天候ガ順調ニ運ンデモ平
年ノ半作デアラウ」

(18) 北海道農村ノ労力不足状況

内容

「北海道ニ於ケル農村ハ壮丁ガ多數應召シタ
為メ労力ノ不足ガ甚シク旭川市ノ隣村鷹
栖村ノ如キハ約四割ノ労力不足デ農産收穫
慮ノ見込ハ薄イ」

ヲ提供シテヰタ

以上(17)(18)ノ内容ハ
北海道旭川市宮下通十八丁目左十號森山方
居住ノ旧同志タル

山本作次

(十) 昭和十六年八月頃前記富成宅デ

(19) 北海道旭川師團移動状況

内容

「北海道ノ軍隊ハ樺太方面ヘ行ツタ様デ旭川師團ハ空ツポダソウダ」

此ノ内容ハ前記山本作次ノ妻「君子」カラ探知シタノデアリマス

(20) 北海道ニ於ケル自動車及馬ノ徴発状況

内容

「北海道デハ「トラツク」ガ多数徴発サレタ為又ニ運輸ノ円滑ヲ欠キ木材ノ如キハ原木ノ内地発送ハ多ク禁止トナリ軍関係優先ノ為メ諸物資ノ配給モ円滑ヲ欠ク状況デアツテ又牡馬ガ不足ノ為メ牝馬モ軍馬トシテ徴発サレルニ至ツタ模様デアル」

此ノ内容ハ前記山本作次カラ探知シタノデアリマシテ北海道方面ノ情報ハ以上デアリマス

（十）昭和十六年八月頃自宅デ

（21）平沼内相對松岡外相間ニ於ケル軋轢問題

内容

「平沼内相ト松岡外相トハ平素カラ非常ニ仲ガ悪ク犬猿ノ間柄デ事毎ニ意見ノ對立ヲ來シ閣議ノ席上ニ於テモ平沼内相ハ松岡外相ニ對シテ継子虐メノ様ナ惨酷ナ態度デ接シテ居タソウダ

其レデ平沼内相ハ松岡外相ノ公私ノ生活ニ関シテ綿密ナ調査ヲ行ッテ何時デモ検挙シ得ル様ニ其ノ資料ヲ蒐集シテ準備ヲ整ヘテ居タト云フ事デアル

例ヘバ松岡外相ガ渡欧ニ際シテ約三十万円ノ外務機密費ヲ持参シタガ其ノ使途ニ就テモ調査ヲシタト云フ噂ガアル」

（22）對米交渉ニ関スル近衛「メッセージ」ノ内容

内容

「對米交渉ニ関スル近衛「メッセージ」ノ内容ニハ蘭印ニ對スル米国トノ共同管理ト云フ事ガ含マレテ居ルモノヽ様ダ」

以上(21)及(22)ノ事項ハ時政会デ矢部周カラ聴取シタノデアリマス

(23) 山下奉文中将ノ満洲轉出理由

内容

「山下奉文中将ガ満洲ヘ轉出シタノハ軍事上特別ノ理由ガアルノデハ無クシテ東條中将ガ次代ノ陸軍大臣候補デアル山下中将ヲ敬遠シタモノデアル」

之ハ「宮成」カラ山下中将ガ満洲ヘ轉出シタガ之ニハ何カ重大ナ意味ガアルラシイカラ調査シテ呉レト依頼サレマシタノデ其ノ直後其レ以前カラ自宅ニ出入シテ居タ都新聞政治部記者デ當時陸軍省記者倶楽部

4

四・七

菊地八郎

詰了
ニ其ノ事ヲ尋ネテ探知シタノデアリマス
此ノ菊地ト云フ人ヲ私ガドウシテ知ル様ニ成
ッタカト申シマスト昨年一月頃カラ私ガ失
業シテ収入ノ途ガ無クナッタノデ生計ヲ維持
スル為メニ其ノ頃カラ妻ノ時子ガ「日本書記」
ト云フ本ノ行商ヲ初メ官廳方面ニ出入シテヰテ
其レデ陸軍省ヘモ出入シテ居ル故ニ當時陸軍
省ノ記者倶樂部ニ居タ菊地ガ其ノ書籍ノ販
賣ニ就テ斡旋ヲシテ呉レタ関係デ妻ガ先ヅ
知合ニ成リ其ノ後昭和十六年一月頃菊地ガ私
ノ家ニ遊ビニ来テ私ト知合ニ成ッタノデア
リマス
其ノ後菊地ハ良ク私ノ家ニ遊ビニ參リマシタ
ガ、仝人ハ前述シタ通リ陸軍省ノ記者倶樂
部詰デアリマシタノデ陸軍方面ノ情報ヲ聴クノ

ノ情報ハ主トシテ今人カラ聴イタノデアリマス

(24)
日ソ戦有無ノ見透シ
内容
「満ソ国境ノ危険ハ九月頃取去ラル、ニ至ル模様デ其レハ関東軍参謀将校等ノ多勢ガ上京シタ事ニ依ッテ窺ヒ知ル事ガ出来ル日本軍ハ多少国境線カラ引イタモノ、様デ動員シタ満洲軍ノ一部ハ南方台湾方面ニ移動シタモノ、様ダ」

(25)
佛印進駐軍ノ兵力
内容
「佛印進駐軍ノ兵力ハ約三万人デアル」
以上(24)及(25)ノ内容ハ自宅デ前記菊地ハ部カラ聴取シタモノデアリマシテ佛印進駐軍ノ兵力ノ事ハ「ハノイ」進駐ノ事ガ新聞ニ発表サレル三、四日前ニ聴イタノデアリマス

(26)

平沼国務相狙撃事件ノ内容

内容

「平沼国務相ノ狙撃サレタ原因ハ、今人ハ兎右翼ノ大将デアッタガ現在ハ所謂現状維持派ニ堕シテ振舞ツタ為メ右翼方面ノ反感ヲ買ッタ結果デアル
犯人ハ「まことむすび会」岡山県支部長デアッテ神主デアル
以前カラ平沼サントハ二、三回面談シタ事実ガアル為シク拳銃ヲ腹部ニ隠匿シテアッタノヲ警察官ガ捜検不充分ノ結果之ヲ発見スル事ガ出来ナカッタノデアル
犯人ハ平沼サントノ対談中何事カ議論ノ結果右拳銃デ狙撃シタモノデ五発ヲ発射シ一発ハ平沼サンノ頭ヲ貫通シテ倒レタ為メ犯人ハ拳銃ヲ自分ノ頭部ニ当テヽ自殺ヲ企テタケレドモ[illegible]

四、七

新聞紙上ニ平沼サンガ犯人ヲ玄関迄追ヒ掛ケタ云々ト発表サレタガアレハ全然嘘偽ダ」

此ノ内容ハ「宮城」カラ其ノ調査ヲ依頼サレ時政会デ私服ノ憲兵ト思ハレル人カラ聴イタノデアリマス

尚其ノ人ガ憲兵ダト思ハレタ事ハ其ノ時側ニ居タ矢部周ノ対話ノ中ニ出テ来タ言葉使ヒ等カラ斯ク察シタノデアリマス

以上ノ事ヲ提報致シマシタ

（十二）

（2ケ）昭和十六年九月頃前記自宅デ

田中隆吉少将ノ北支行ト閻錫山工作問題

内容

「兵務局長ノ田中隆吉少将ガ北支ヘ出張シタノハ閻錫山工作（買収）ノ為メデアッテ之ハ成功スルダラウ」

此ノ内容ハ自宅デ前記ノ蜀地八郎カラ探知シタノデアリマシテ其ノ経緯ハ私ノ妻時子ガ籍

6

四、七

ス行商ヲシテ陸軍倉庫ニ出入中田中少将ガ北支へ出張スルト云フ事ヲ聴イテ来テ私ニ少将級ニナルト偉イモンデスネ北支へ一度出張スルト出張旅費ガ一千円モ貰エルソウデスネト語シマシタノデ私ハ此ノ妻ノ語ニヒントヲ得テ何ンノ為メニ田中少将ガ北支へ行クノカヲ蜀地ニ質問シタノデアリマス

(三)昭和十六年九月十六日私ハ商用ノ為メ北海道へ出張致シマシタガ其ノ直前ニ「宮城」ガ私ノ家ニ参リ偶々日ソ戦ノ問題ニ及ビマシタ時「宮城」ハ私ニ「北海道へ行ツタラ樺太ニ駐屯シテ居ル軍隊ノ動向ヲ調ベテ来テ呉レ其ノ事ヲ調査シテ貰フ事ニ依ツテ日ソ戦ノ危機ノ有無ガ判ルノダカラ」ト申シマシタ私ハ之ヲ承諾シマシタガ私ノ考ヘトシテハ當時既ニ日ソ戦ノ危機ハ解消シテ居ルノデ其ノ必要ハ無イト思ツテ居タノデ商売ノ方ガ多

此デアツタ為メ、其ノ事ハ調査セズニ釧路市ノ妻ノ實家ニ滞在中警視廳カラノ手配ニ依ツテ十月二十四日釧路警察署ニ検挙サレタノデアリマス
情報ノ提供関係ハ以上ノ通リデアリマス

二、問　被疑者ハ情報ヲ提供シタ以外ニ「宮城」ニ何カ便宜ヲ供シタ事ハ無イカ

答　アリマス
其レハ陸軍省記者倶楽部詰ノ新聞記者ニ人ヲ「宮城」ニ紹介シタ事デス

三、問　然ラバ其ノ経緯ヲ述ベヨ

答　私ガ菊地八郎ト云フ陸軍省詰ノ新聞記者ト知合ニ成ツタ動機等ニ就テハ前述シタ通リデアリマシテ私ガ軍方面ノ情報ヲ菊地カラ聴イテ之ヲ「宮城」ニ報告シタ関係デ「宮城」ハ私ノ情報ノ蒐集先ニ「菊地八郎」ナル新聞記者ノアルコトヲ知リ又當時「菊地」ガ常ニ私ノ

家ニ出入シテ居タノデ自然「宮城」トモ顔見知リニ成ッタノデアリマスガ或時「宮城」ト私トノ間ニ「菊地」ノ話ガ出タ時私ガ「宮城」ニ菊地ノ外ニモ一人陸軍省詰ノ新聞記者ニ

佐野増彦

ト云フ友人ガアルト云フ事ヲ話シマシタ処「宮城」ガ私ニ其ノ二人ヲ是非紹介シテ呉レナイカト依頼サレマシタノデ私ハ其ヲ承諾シテ適当ナ機会ニ紹介シテヤロートト答ヘマシタ

其レデ「宮城」ハ自分ガ肉デモ持ッテ来ルカラ君ノ家デ紹介シテ欲シイト申シマシタノデ私ハ其レデハ日時ヲ決メテカラ君ノ方ニ通知スルカラト云ヒマシタ

其処デ私ハ菊地ト佐野ニ「宮城」ノ事ニ就テ隣ノ友人ニ亜米利加帰リノ画家ガ居ルガ面白イ男ダカラ会ッテ見ナイカト話シマシタ処二人ハ会ッテ見ヤウト云フノデ二人ノ都合ヲ

聞キ日時場所等ヲ打合セテ昭和十六年八月下旬頃ノ正午當時ノ私ノ住所デアッタ
四谷區坂町七五番地
ノ私ノ家ニ集マル事トシ一方「宮城」ニモ其ノ旨ヲ通知シテ前記ノ日時場所デ「宮城」ニ菊地ト佐野ノ二人ヲ紹介シタノデアリマス
尚佐野ハ當時報知新聞政治部記者デ陸軍省記者倶楽部詰デアリマシタ

四、問　被疑者ガ陸軍省詰ノ新聞記者ヲ「宮城」ニ紹介シタ目的ハ如何

答　當時「宮城」ハ非常ニ軍方面ノ情報ヲ知リタガッテ居リ「宮城」カラノ依頼モアリマシタノデ此ノ二人ヲ紹介スレバ「宮城」ガ直接軍方面ノ情報ヲ彼等カラ入手出来ルト考ヘ「宮城」ノ諜報活動ニ便宜ヲ供與スル目的デ紹介シタノデアリマス

五、問　被疑者ハ國防保安法ト云フ法律ガ出タノヲ知ッテ

居ルカ

答　昭和十六年二月下旬頃（議會開會當時）ノ新聞ヲ見テ知ッテ居リマス
其ノ内容ハ詳シイ事ハ知リマセンガ戰時下國防上國家ノ色々ナ秘密ヲ漏泄スル者ヲ取締ル爲メノ法律デアッテ其ノ範圍ハ相當廣汎ニ亘ッテ居リ大抵ノ「スパイ」行爲ハ總テ此ノ法律ニ依ッテ嚴罰ニ處セラレルト云フ事丈ハ知ッテ居リマス

六、問　被疑者ハ情報ヲ提供シタ關係デ「宮城」カラ報酬ヲ貰ッタカ

答　私ハ「宮城」トノ關係ガ生ジテカラ昨年(?)検挙サレル迄ノ間ニ約四、五回田(?)庫(?)食屋等デ御馳走ニナッタ事ガアリマスガ其レ以外ニ報酬トシテ金等ハ一文モ貰ッタ事ハアリマセン

七、問　然ラバ被疑者ハ共産主義ニ基ク信念デ以上ノ

答　「スパイ」行為ヲヤッタノカ

勿論、報酬ヲ貰ハズニヤッタノデスカラ私ノ信念ニ基イテヤッタノデアリマス

八、問　現在ノ心境將來ノ方針ハ如何

私ハ曾テ所謂三、一五事件ニ連座シテ檢擧投獄セラレタノデアリマスガ其后ニ於テモ共産主義ニ對スル根本的態度ニ於テハ何等変化無ク共産主義ノ正當性ヲ信レ其ノ實現ヲ夢ミテ参ッテマシタ

其ノ結果今次事件ノ如キ大罪ヲ犯スニ至ッタノデアリマス

私ハ此度檢擧サレマシテ自分ノ行ッタ行為ガ如何ニ我国ニ大キナ害ヲ與ヘ不利益ヲ貢シタカト云フ事ニ就テツクヅク考ヘマシタ

日本國民ノ一員トシテ眞ニ許スベカラザル

田七

ル行為ヲ致シマシテ誠ニ慚愧ニ耐ヘナイ次第デアリマス

私ハ此度検挙サレテ以来静カナ留置場ニ在ツテ日夜自分ノ過去ノ思想ヲ批判シ検討シ自分ノ過去ノ行ヒヲ反省シタ結果共産主義ハ物質ヲ偏重シテ精神ノ尊クシテ其ノ重キヲ知ラヌ、又階級ノ存在ト其ノ斗争ヲ主張シテ歴史ガ国民ノ協力ニ依ツテ進歩シ発展スル現實ノ事實ヲ無視シ平等ヲ知ツテ不平等ノ中ニ平等ノアル事實及平等ノ中ニ不等ノアル事實ヲ知リマセン又民族ガ相集マリ相寄ツテ始メテ強固ナル社會国家ノ成立スル所以ヲ無視シテ武力デ世界平等ヲ主張スルモノデ複雑ナル人情社會ニハ適合セズ而モ我国ノ国体ト全ク相容レザル誤レル思想デアルト云フ事ガ良ク判リマシタ

回顧シマスレバ私ハ二十三歳デ共産主義ヲ學ビ齢四十二ニ至ル十七年間共産主義ノ重荷ヲ荷ヒ喘キ乍ラ歩ンデ参リマシタ
其シテ又實際運動カラハ身ヲ引クベク決意シテ結婚シ家庭生活ニ入ツテカラ約十年其ノ間ニ於テモ共産主義ヲ抱懐シテ居タヽ周囲ノ人トモ何トナク「シツクリ」セズ丁度眞水ノ魚ガ鹽水ノ中ニ棲息シテ居ル様ナ息苦シサヲ味ツテ来タノデアリマスガ今回ノ検挙ニ依ル反省ノ結果翻然トシテ其ノ非ヲ覺リ重荷ヲ下シテホツトシタ様ナ身ヲ輕ガラ感ジ今ハ心ノ底カラ朗ナ日夜ヲ送ツテ居リマス
殊ニ今次事件ニ依ル拘禁中大東亜戦争ノ勃発ニ依ツテ私ノ心情ハ更ニ一層強ク我国ノ精神即チ八紘一宇ノ理念ニ思ヲ到シ従来ノ命学ガ考ヘテ居タ戦争ニ對スル観念ガ根本的ニ誤ツテ

日 く

居タ事ヲ知リ今後ハ積極的ニ国家ノ為メ八紘一宇ノ理念ヲ世界ニ顕現スル為メニ働キ度イト希フニ至リマシタ

私ハ今次ノ如キ大罪ヲ犯シマシテ何共申譯アリマセン此ノ上ハ如何ナル御処分ヲ受ケマセハモ不服ナク進ンデ刑ニ服シ犯セル罪ノ償ヒノ為ズ許リデ無ク将来ハ真ノ日本国民トシテ更生シ国家ニ與ヘタ損害ノ幾分ナリトモ補塡シ度イト思ッテ居リマス

今後私ハ十七年間自分ヲ苦シメ自分ノ生活ヲ破壊シタ共産主義ニ對シ寧ロ憎悪ヲ感ズル次第デアリマス

私ハ将来共産主義トハ斗ヒマスソノ際ハ[illegible]ノ方法ニ依ッテ斗ヒニス其シテ日本国民ノ一員トシテ国家ニ忠誠ヲ盡スト共ニ職業ニ勵ミ良キ夫トシテ又良キ親トシテ生業ニ精進

度イト念願シテ居リマス

九、問　何カ外ニ申立テル事ハ無イカ

別ニ申上ル事ハアリマセンガ私ガ「宮城」ニ提供シタ情報ハ總テ口頭ニ依ツテヤツタノデアリデシテ北海道方面ノ飛行場ノ名称及所在地ヲ教ヘタ際ニ文書ニ依ツタ丈デアリマス

被疑者　田口右源太

右讀聞ケタル処無相違旨申立テ署名拇印シタリ

同日

於青山警察署

警視廳特別高等警察部特高第一課

司法警察官

警視廳警部　川崎清次

司法警察吏

警視廳巡査　鈴木正

田‥七

検事訊問調書　（四月四日）

被疑者　犬養　健

一、問　氏名、年齢、職業、住居、本籍及出生地ハ如何

答　氏名ハ犬養　健

年齢ハ當四十七年

職業ハ中華民國國民政府顧問、前代議士

住居ハ東京市四谷區南町八十八番地

本籍ハ右ニ同シ

出生地ハ東京市牛込區佐土原町以下不詳

二、問　位階勲等恩給年金等ハ

答　正五位勲三等テアリマス

三、問　學歴ハ

答　學習院ノ初等科中等科高等科ヲ經テ大正六年七月東京帝國

大學文學部哲學科ニ入學シマシタカ第三學年在學當時病氣ノ爲退學致シマシタ

四 問 職業經歷ハ

答 昭和五年以來四期ニ亘リ衆議院議員ヲ勤メテ居リマス選擧區ハ最初ノ二回ハ東京市第二區後ノ二回ハ岡山縣第二區テアリマス

其ノ他昭和六年十二月犬養ノ内閣總理大臣當時總理大臣秘書官ヲ命セラレ昭和七年五月五一五事件直後依願免官トナリ更ニ昭和十二年六月ヨリ昭和十四年一月迄ノ間遞信參與官ニ任セラレ昭和十四年一月ニハ參謀本部ノ囑託トナリ現在ニ至ツテ居リマス

右申述ヘタ外昭和十五年四月中華民國特派全權大使隨員ノ辭令ヲ受ケ日華間現行交渉ノ交渉委員トナリ新國民政府ト

ノ現地交渉等ニ關與シマシタカ同年十一月日華基本條約ノ成立ト共ニ自然解任トナリマシタ

私ハ昭和十六年二月中華民國國民政府行政院全國經濟委員會ノ顧問トシテ事實上ハ國民政府ノ軍事以外ノ一般政務ノ顧問ヲ致シテ居リマス

五、問　刑事上ノ處分ヲ受ケタ事ハナイカ

答　昭和五年議會内部ノ亂鬪事件ノ時東京地方裁判所檢事局ニ於テ取調ヘヲ受ケタ事、又昭和十一年選擧違反ノ嫌疑テ岡山地方裁判所檢事局ニ於テ取調ヘヲ受ケタ事ノ二回アリマスカ孰レモ嫌疑不十分テ何等處分ハ受ケテ居リマセヌ

六、問　被疑者ハ日華間國交調整ニ關スル双方ノ交渉過程ニ於テ條約案其ノ他ノ文書ヲ尾崎秀實、西園寺公一等ニ示シタ事ハナカツタカ

答

私ハ昭和十三年五月以來所謂汪兆銘工作ニ直接關係シ汪兆銘ノ重慶脱出後ノ昭和十四年五月以降ハ影佐陸軍少將（當時ハ陸軍大佐）ヲ機關長トスル梅機關（通稱梅花堂或ハ影佐機關）ニ所屬シ日本側ノ現地交渉員ノ一人トシテ支那側ノ陳公博周佛海其ノ他ノ交渉員ト折衝ヲ續ケテ居リマシタ此ノ下交渉ハ昭和十四年十二月三十日終了シ所謂「內約」ノ成立ヲ見マシタ

其ノ後昭和十五年四月阿部全權大使カ赴任シ此ノ「內約」ヲ基準トシテ支那側トノ間ニ正式交渉ヲ開始シ同年八月末日華基本條約案及其ノ附屬書案ノ一應ノ決定ヲ見マシタ現地ニ於テ成立シタ此ノ案ハ其ノ後多少ノ修正カ加ヘラレ同年十月一日イニシヤルヲ了シ次テ十一月三十日調印ヲ經テ正式ニ成立ヲ見タノテアリマス私ハ正式交渉ニ際シテモ

日本標準規格B4號

全權大使ノ隨員トシテ交渉委員ニ擧ケラレ正式會議ニハ三回程出席シテ居リマス

左樣ナ關係デ私ハ國民政府トノ交渉ノ間ニ成立シタ各種ノ文書ヲ配布サレル地位ニアリマシタカ私ト西園寺公一トハ昭和十三年五月高宗武來朝以來汪兆銘工作ノ協力者トシテ政治的關係カアツタ許リデナク私的ナ親密ナ交リモアツタ關係デ此ノ種ノ文書ヲ見セテ居ルト思ヒマス

又尾崎ハ支那研究家デ第一次近衞内閣當時内閣囑託ニ任セラレテ居タ關係カラ其ノ頃ヨリ支那問題ニ關スル同人ノ意見ヲ聽シタリシテ割合ニ親シク交際シテ居リマシタカ左樣ナ關係モアツテ同人ニモ此ノ種ノ文書ヲ見セタコトカアルト思ヒマス

七問

西園寺公一及尾崎秀實ニ見セタ文書ノ内容ハ

答

何時如何ナル内容ノ文書ヲ~~識~~両名ニ見セタカ什ウモ判然トシナイノテアリマス

八、問　西園寺公一ニハ昭和十五年一月頃所謂「内約」ナルモノヲ次テ同年九月頃日華間ノ基本條約案及其ノ附屬文書等ヲ見セタノテハナカツタカ

答　左様ナ事カアツタト思ヒマス　見セタ場所ハ私宅テアツタ様ニ思ヒマス

私ハ昭和十四年十二月末上海カラ上京シタ際所謂「内約」ノ要點ヲタイプニ叩イタ文書（十五、六枚ノモノト記憶シマス）ヲ持チ歸リマシタカラ此ノ文書ヲ西園寺ニ見セタノテハナカツタカト考ヘマス

昭和十五年九月ニ見セタ分ハ日華基本條約關係ノ文書ニハ相違アリマセンカ現地交渉ノ結果成立シタ案文其ノモノテアツタカ其ノ概略ノ様ナモノテアツタカ判然シマセヌ但シ其ノ文書ノ内ニハ不公表ノ交換公文條約附隨ノ秘密ノ協定

ノ案文其ノモノ又ハ其ノ概要ヲ記載シタモノヲ含ムテ居タト思ヒマス

九、問 尾崎ニハ昭和十五年九月頃同様日華間ノ基本條約案及其ノ附屬文書等ヲ見セタノデハナカツタカ

答 同人ニ見セタ文書モ條約案及其ノ附屬書ノ全文デアツタカ其ノ概略ノ様ナモノデアツタカ判然シマセヌカ確カニ其ノ頃西園寺ニ見セタ前述ノ文書ト同一ノモノヲ尾崎ニモ見セテ居ルト思ヒマス

一〇、問 西園寺公一並尾崎秀實等ハ被疑者ヨリ示サレタ文書ヲ寫シ取ツタノデハナイカ

答 左様ナ事モアツタト思ヒマス西園寺カ私ヨリ見セラレタ文書ノ何レヲ書寫シタカハ判然致シマセヌ

尾崎ニ條約關係ノ文書ヲ見セタ時ニ同人ニ之ヲ貸與シタカ

日本標準規格B4號

否カ此ノ點判然シマセヌ　然シ左樣ナ事カアツタカモ知レマセヌカ若シ貸シタトシテモ極ク短時間貸シタニ過キナイト思ヒマス

二十、問　被疑者ハ西園寺公一及尾崎秀實ニ示シタ內約或ハ條約ニ關スル文書ノ重要性ハ如何ニ考ヘタカ

答　夫等ノ文書ハ日本側ト新國民政府側トノ間ニ取決メラレタ重要ナ事項ニ關スルモノデ日本軍ノ駐屯等ニ關スル秘密ノ取決メヲ含ムタモノテスカラ勿論秘密ヲ要スル種類ノ文書テアリマス

但其ノ頃ハ所謂汪兆銘工作ニ付種々異論モアリ流言飛語ノアツタ時テシタカラ私達此ノ工作ニ直接關係シタ者トシテハ斯ル誤解ヲ一掃スル必要カアリ殊ニ西園寺及尾崎共直接或ハ間接ニ此ノ工作ニ關係シ或ハ努力シテ居テ異レタノテ

重要ナ秘密ヲ要スル文書デアルコトハ之ヲ知リツツモ見セタ次第デアリマス　然シ現在デハ此ノ點ハ非常ニ輕卒デアツタト思ツテ居リマス

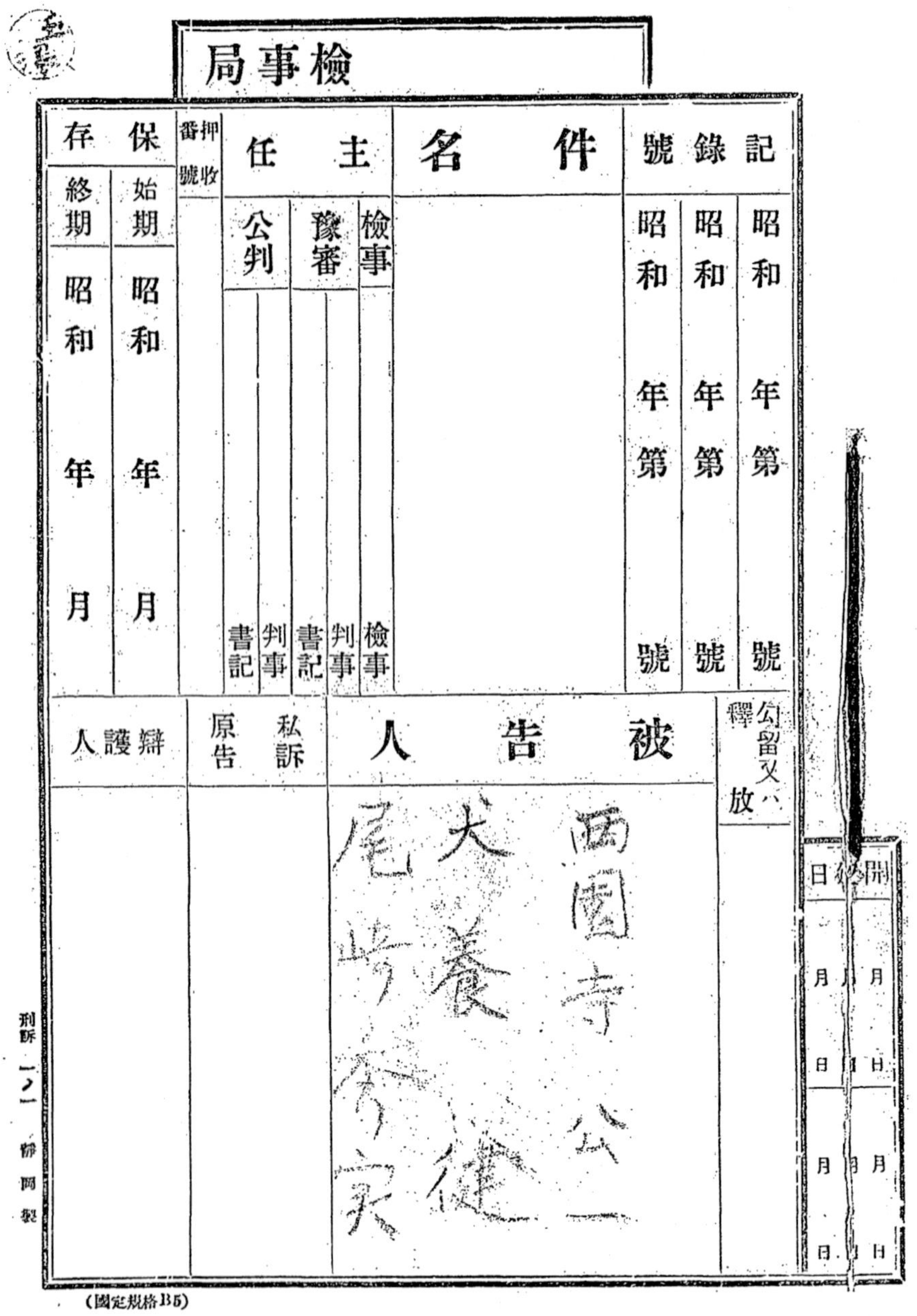

検事局

記録號
昭和　年第　號
昭和　年第　號
昭和　年第　號

件名

主任
検事　検事
豫審　判事　書記
公判　判事　書記

押收番號

保存
始期　昭和　年　月
終期　昭和　年　月

被告人
西園寺公一
犬養健
尾崎秀実

勾留又ハ釋放

私訴原告

辯護人

開始　月　日　月　日
終結　月　日　月　日

刑訴一八一　静岡製

(國定規格B5)

177〔綴表紙「検事尋問調書被告人西園寺公一・犬養健・尾崎秀實」表〕

第一審

事件簿
體刑執行
徵收金
罰金科料
追徵金
訴訟費用
逮捕狀
押收物
犯罪票
保存

上訴審

事件簿
體刑執行
徵收金
罰金科料
追徵金
訴訟費用
逮捕狀
證據物件
犯罪票
保存

177〔綴表紙「検事尋問調書被告人西園寺公一・犬養健・尾崎秀實」裏〕

極秘

檢事訊問調書（三月十六日附）

被疑者　西園寺公一

問　氏名、年齢、職業、住居、本籍及出生地ハ如何

答　氏名ハ西園寺公一

年齢ハ當三十七年

職業ハ元内閣囑託兼外務省囑託

住居ハ東京市澁谷區千駄ケ谷三丁目五百八十五番地西園寺八郎方

本籍ハ東京市神田區駿河臺三丁目五番地

出生地ハ澁谷區内日本赤十字病院產院

問　被疑者ハ外務省囑託内閣囑託ニナツテ居タ事ハナカツタカ

答

アリマス

外務省嘱託ハ二回デ、内閣嘱託ハ一回デアリマス

外務省嘱託ハ昭和九年ヨリ約二ケ年ニ亘リ前ノ條約局第三課ニ勤務シテ委任統治關係事務ヲ擔當シ第二回目ハ昭和十五年九月頃ヨリ十月十六日迄松岡外相ノ秘書ト云フ事デ嘱託ノ辭令ヲ交付サレマシタカ殆ト外務省ノ仕事ハ致シテ居リマセヌ　只昨年三月ヨリ四月迄ノ間歐洲出張ヲ命セラレテ松岡外務大臣ノ訪歐ニ隨行シタノカ外務省ノ仕事ノ唯一ノモノデアリマス

内閣嘱託ハ昨年八月中旬辭令ノ交付ヲ受ケ爾來第三次近衛内閣總辭職迄ノ間外交事務特ニ日米交渉ニ關スル陸、海、二省ト内閣トノ連絡事務ニ關與シテ參リマシタ

問

被疑者ハ内閣囑託外務省囑託當時ノ最近數年間ニ於テ東京市内等ニ於テ尾崎秀實等ニ對シ軍事上ノ秘密、國家ノ秘密等ヲ告知シテ之ヲ漏泄シタ嫌疑テ取調ヲ爲スカ何カ云フ事ハナイカ

答

尾崎秀實トハ昭和十一年夏米國加洲ヨセミテデ開催サレタ太平洋問題調査會第六回大會ニ日本代表團ノ書記トシテ出席ノ途次同代表ノ一人テアル尾崎ト船室ヲ同シクシタ關係テ知合トナリ爾來同人ト親シク交際シテ來マシタ

私ハ尾崎ニ對シテハ軍事上ノ秘密ヤ國家ノ秘密ヲ漏シタ事ハ全クアリマセヌ

極秘

檢事訊問調書（三月二十八日附）

被疑者　西園寺公一

一、問　位階及家族關係ハ

答　位階ハ從五位デアリマス

家族關係ハ戸籍上ハ

父　八郎　當六十二年

妹　燦子　當三十五年

及ビ　私

ノ三人丈ケデアリマス　父八郎ハ長州藩主毛利元徳ノ八男トシテ生レ私ノ母新子ノ婿養子トナツテ西園寺家ニ入籍シ昭和十六年一月離籍シ西園寺公爵家ノ當主トナツテ居リ目下逗子幾山柳作ノ別莊ニ居住シテ居リマス

妹禮子ハ精心女學園ヲ卒業シ目下父ノ許ニ在ツテ父ノ身邊
リノ世話ヲシテ居リマス
其ノ外分家シタ弟二人他家ニ嫁イダ妹二人アリマス
弟二郎（當三十六年）ハ水戸高等學校ヲ經テ東大經濟學部
ヲ卒業シ鎌倉市長谷一、三一三番地ニ一戸ヲ構ヘ企畫院ノ囑
託トシテ同院總務室ニ通勤シテ居リマス
弟不二男（當三十二年）ハ水戸高等學校ヲ經テ東大經濟學
部ヲ卒業シ日本銀行ニ勤務シテ居リマシタカ昭和十四年九
月一日應召シ目下千駄ケ谷ノ私宅ヨリ陸軍航空本部ニ通勤
シテ居リマス階級ハ陸軍主計中尉テアリマス
妹春子（當三十年）ハ住友吉左衞門ニ嫁シ妹萬代子（當二
十七年）ハ阿部一藏ニ嫁シテ居リマス
私ノ母新子ハ祖父公望ノ養女テ父八郎ヲ婿養子ニ迎ヘ私以

日本標準規格B4號

下六人ノ子供ヲ儲ケマシタカ大正九年一月十日死亡致シマシタ

尚私ハ昨年四月以來松崎町江ト内縁關係ヲ結ヒ京橋區明石町三四番地ニ別宅ヲ構ヘ同棲シテ居リマス

尚西園寺家ハ藤原鎌足ノ流レヲ汲ンテ居リマス

鎌足ヨリ五攝家ト十六淸華家カ出テ居リマスカ西園寺家ハ此ノ十六淸華家ノ一ツニ屬スル家テ西園寺ナル姓ハ皇室ヨリ賜ツタモノト聞イテ居リマス父八郎ハ西園寺家ノ初代ヨリ數ヘテ三十四代目ニ當ツテ居リマス

二問　經歷ハ

答　私ハ學習院初等科ヲ卒業後東京高等師範學校附屬中學校ニ入學シ大正十三年三月同校ヲ卒業シ次イテ同年四月英國ニ赴キボーンマス市所在ノ豫備校ニ編スルスターリング」ハ

ウスニ學ンダ後昭和二年（一九二七年）十月オツクスフオードト大學ニ入學シ政治經濟ヲ專攻シテ昭和五年八月同校ヲ卒業シ獨佛ヲ視察シテ昭和六年五月歸朝致シマシタ

三六 問 歸朝後ノ動靜ハ

答 昭和五年歸朝後東京帝國大學ノ大學院ニ籍ヲ置キ矢部貞治教授ノ指導下ニ二年間ニ亘リ政治學ヲ研究シマシタ其ノ間約半歲ニ亘リ高野山ニ籠リ勉強シタコトモアリマス

昭和八年始頃ニハ靜岡縣榛原郡川崎町ニ於テ榛原中學校長小田原勇氏等ト共ニ塔本塾ヲ開キ地方青少年ノ指導教養ニ當リマシタ　此ノ塔本塾ハ現在モ引續イテ開カレテ居リマス

私ハ昭和十一年麴町區飯田町一丁目七番地ニ事務所ヲ設ケテ月二回發行ノ雜誌「グラフイツク」ノ經營ヲシテ來マシ

タカ同雜誌ハ昭和十五年末迄發刊致シマシタ

其ノ外昭和十四年初頭同事務所ニ日本國際問題調査會ヲ組織シ「世界年鑑」ノ發行ヲ爲シ今日ニ至ツテ居リマス

右申述ヘタ外前回ニ述ヘタ通リ昭和九年十一月一日外務省ノ囑託トナリ條約局第三課ニ勤務シテ委任統治關係ノ調査事務ヲ擔當シテ居リマシタカ感ズル處カアリ昭和十一年十一月十七日囑託ヲ辭シマシタ

其ノ後松岡洋右氏カ外相トナルニ及ヒ同氏ノ推薦ニ依リ昭和十五年八月三十一日外務大臣秘書官附ノ囑託トナリ次イテ同年十一月二十八日東亞局第一課附ヲ命セラレ更ニ昭和十六年三月十二日歐洲各國ニ出張ヲ命セラレテ松岡外相ノ訪歐ニ隨行シマシタカ同年十一月五日依願解囑トナリマシタ　但シ外務省ノ囑託ニナツタノハ私ノ希望ニ依リ實現シ

タノデハナク松岡外相カ務メ私ニハ相談スルコトモナク囑託ノ辭令ヲ出シ事後ニ囑託トナツタコトヲ告ゲラレテ始メテ其ノ事實ヲ知ツタ次第テ秘書官室ニ席ハ設ケラレマシタモノノ之ト云フ仕事モナク勝手勤メト云フ事テ時キ顔ヲ出ス位ノモノテシタ

東亞局第一課付ヲ命セラレタノモ餘リニ仕事カナイノテ其ノ由ヲ松岡外相ニ申出タ處外相ハ君ハ支那問題ニ趣味ヲ持ツテキルカラ東亞局カ宜カラウト云ツテ第一課長室ニ席ヲ設ケテ與レタモノテスカ其處テモ現實ニハ仕事ヲ與ヘラレマセンテシタ内閣囑託ハ事實上ハ昭和十六年八月十四日附ノ辭令ノ交付ヲ受ケル十日程前ニ話カアリ直ニ承諾シ其ノ翌日カラ内閣總理大臣官舍（總理官邸）ニ出勤シテ日米交涉ニ關スル事務ニ携ツテ居リマシタ　辭令面ハ「内閣囑託

日本標準規格B4號

事務ヲ囑託ス」トナツテ居リマス　內閣囑託ニナツタ經緯ハ八月上旬牛場秘書官ニ呼ハレテ總理官邸ニ行ツタ處岡秘書官ヨリ日米交渉ニ關シ私ニ內閣ト陸海軍トノ間ノ連絡事務ヤ九ケ國條約等ノ研究ヲヤツテ貰ヒタイ今度ノ外交ハ難[illegible]リテ本來ナラ外務省テヤルベキダガ此ノ問題ニ就テハ近衞總理カ乘出シ自身カ中心トナツテヤルノテ內閣テハ人手カナク困ツテ居ルカラ囑託ニナツテ手傳ツテ貰ヒタイトノ事テシタ　私カラ仕事ノ內容ヲ訊ネマスト牛場秘書官ハ書記官長ニ會ツテ聞イテ與レト言ヒマスノテ富田書記官長ニ會フト同書記官長ハ六カシク考ヘル必要ハナイノテ每週水曜日ニ官邸テ關係者カ集ツテ會食ヲ喫ヘルコトニナツテ居ルカラ之ニ出席シテ貰ヒタイ其ノ內ニヤツテ貰フ仕事モ出來テ來ルカラトノ事テシタカラ即座ニ囑託トナルコトヲ承諾

シ翌日ニハ官邸ノ一室ニ私ノ席ヲ設ケテ與レマシタノデ其ノ日ヨリ毎日出席シテ日米關係ノ各種ノ條約ヤ米國ノハル國務長官ノ聲明其ノ他ヲ研究シ又毎週水曜日官邸テ開カレル陸海軍ノ連絡員トノ午餐會ニ出席シテ居タノデアリマス此ノ囑託モ十月十六日第三次近衞内閣總辭職ノ日ニ辭表ヲ提出シ十月二十八日依願解嘱トナツタノデアリマス

尚私ハ昭和十一年七月米國加州ヨセミテニ於テ開催サレタ太平洋問題調査會第六回大會ニ日本代表團ノ書記トシテ出席シタ外昭和十二年秋頃ヨリ約一年間ニ亘リ日本國際協會太平洋問題調査部幹事ヲシタコトカアリマス

四 問 住居ノ移動並ニ海外旅行等ニ付キ述ヘヨ

答 私ノ本邸ハ以前ハ駿河臺三丁目壹番地デアリマシタカ中央大學ニ記念館トシテ保存セシメル爲メ寄附シテ昭和十五年

七月末小石川區丸山町三四番地ニ一時轉居シ次イテ昭和十六年十二月八日澁谷區千駄ケ谷二丁目三八五番地ノ本邸ニ轉居シテ現在ニ至ツテ居リマス　尚昭和十六年十月上旬京橋區明石町三四番地ニ別宅ヲ構ヘタ事ハ前ニ述ヘタ通リテアリマス　海外旅行トシテハ前ニ述ヘタ英國留學及太平洋問題調査會出席ノ爲メ昭和十一年七月ヨリ二ケ月ニ亘リ米國ニ旅行シタ以外ニハ支那方面ニ四回歐洲ニ一回旅行シテ居リマス　即チ昭和十二年八月同盟通信社長岩永裕吉氏ノ勸メニヨリ上海方面ニ一週間程旅行シ其ノ間宋子文、高宗武、徐新六等ト會ヒ日支關係事件ニ關スル支那側要人ノ考方ヲ打診シテ歸リ次ニ昭和十四年夏ニハ參謀本部第八課長臼井茂樹大佐ノ命ニ依リ南京政府ニ參加スル可能性アル人物ノ空氣ヲ見ル爲メ上海南京ニ赴キ更ニ香港漢口等ヲ觀察

シテ約三週間後歸國シマシタカ此ノ時ノ南京香港上海ノ旅行ニハ尾崎秀實ト行動ヲ共ニシマシタ
同年十二月ニモ同様臼井大佐ノ命ニ依リ犬養ト南京政府ノ問題ニ付キ連絡スル爲上海ニ赴キ一週間位滞在シ所用ヲ果シテ歸リ更ニ昭和十五年三月ニハ南京還都後ニ於ケル南京政府強化策ノ資料ヲ得ル目的デ南京上海ニ旅行シ約十日間ニ亘リ調査ヲ爲シ尚同盟通信社編輯局長松本重治ト共ニ香港及マニラヲモ觀察シテ歸リマシタ　其ノ後昨年三月十二日松岡外相ニ隨行シテソ聯、獨、伊ヲ歴訪シ同年四月二十三日歸朝シマシタ

五、問　生立及ヒ思想推移ノ過程ハ

答　此ノ點ニ付テハ別ニ手記ヲ認メテ提出シマスカラ夫レヲ御覽願ヒマス

六、問　松岡洋右トノ關係ハ

答　私ハ自分ノ子供ノ頃松岡洋右氏カ私ノ父ノ許ニ出入シテ居タ關係テ早クヨリ知ツテ居リマシタ

昭和十三年頃テアリマスカ當時ノ滿鐵總裁ノ地位ニアツタ松岡氏カラ今後ハ支那問題カ重要テアルカラ勉強スルヤウ注意サレ同氏カ上京シタ折ニハ訪問シテ支那問題ニ關スル意見チ伺ツタリシマシタ　又後ニ述ヘタ日本國際問題調査會ノ開設ニ當ツテハ同氏ニ依頼シ滿鐵ヨリ五千圓ノ寄附チ受ケタ事モアリマシタ

私カ政治的ナ問題テ松岡氏ト接觸スルヨウニナツタノハ汪兆銘工作カ本格的ニナリ始メタ

昭和十四年初頃ノコトテ其ノ頃松岡氏ニ會ヒ何ナリト御手傳スルト云ツタ處松岡氏ヨリ汪兆銘工作ハ元來自分カ始メ

タモノテ是非吾々ト一緒ニナツテ手傳ツテ與レト言ハレ其ノ後汪兆銘ノ來朝シタ同年六月頃ニハ數回松岡氏ヲ自宅ニ訪問シテ汪工作ニ付テノ意見ヲ聽イタリシマシタ　松岡氏ノ外相就任後私ハ同氏ノ推薦ニ依リ外務省囑託ニナツタコトハ既ニ申述ヘタ通リテスカ松岡外相カ私ヲ囑託ニシタ理由ハ其ノ當時秘ニ來朝シ日獨軍事同盟締結ニ努力シテ居タ獨逸ノスターマー公使トノ交渉ニ私ヲ出席セシメテ私ニ斯ル方面ニ經驗ヲ持タシメヨウトノ意圖ニ基イタモノテスカ當時私ハ輕井澤ニ於テ病氣療養中テアツタ爲メ呼出ノ電話カアリマシタカ之ニ應スルコトカ出來ス同年九月中頃歸京シテ始メテ外相ヨリ私ヲ囑託ニシタコト並ニ其ノ意圖ヲ聞カサレテ右ノ事情ヲ知ツタ次第テアリマス

外務省囑託時代ノ仕事ニ關シテハ既ニ述ヘタ通リテアリマ

スカ昭和十五年十月頃外務省ノ人事大刷新ノ行ハレタ當時松岡外相ヨリ私ノ公使ニナラヌカトノ交渉ヲ受ケマシタカ私ハ左様ナ大任ハ勤マラヌト考ヘテ之ヲ斷リ又其ノ後濠洲ニ公使館カ出來ル際ニモ松岡外相近衞首相双方ヨリ濠洲ノ公使ニ出ルヨウ慫慂サレマシタカ之亦任ニ適キルト考ヘテ斷リマシタ

其ノ後昭和十六年二月末頃外相ヨリ訪歐ニ隨行セヨトノ話カアリ之ヲ承諾シテ其ノ一行ニ加ハリソ獨伊ノ三國ヲ歴訪シマシタ　訪歐ノ一行ハ

外務大臣　松岡洋右
陸軍大佐　永井栄
海軍中佐　藤井茂
歐亜局長　坂本瑞男

外務大臣秘書官　加瀨俊一
同　長谷川進一
會計係　船越某
電信係　西野某
同盟通信次長　岡村二一
元滿鐵理事　中西敏憲
代議士　瀧井錄道
私
外二名
テアリマシタ
私ハモスコー及ローマ以外ハ總テ外相ト行動サ共ニシマシタカ外相ト獨伊ソ等ノ首腦部トノ會見ノ席ニハ出席セズ又會談ノ内容ニ關シテハ坂本局長、加瀨秘書官以外ニハ全ク關與セシメナカツタノテ斷行シタト云フモノノ訪歐中ノ獻學會議ノ内容ハ殆ト之ヲ知ルコトカ出來マセンテシタ松岡氏トハ歸朝後ニ、三回會ツテハ居リマスカ第二次近衛内閣總辭職後ハ健康ヲ害サレ專ラ静養シテ居リマスノテ政治的ナ問題テ同氏ト會ツタコトハアリマセン　松岡氏トシテハ私ノ將來ニ對シ期待ヲ懸ケラレ其ノ爲メ訓練サレル考カラ面倒ヲ見テ呉レタモノト察セラレマス

七、問　近衛公トノ關係ハ

答　私的關係ハ別トシテ私カ近衛公ト政治的ナコトテ會ツタ最初ハ公カ貴族院議長ヲシテ居タ頃輕井澤ニ訪ネテ貴族院改革論ヲ持出シタ時テアリマス其ノ後ハ何ト云フコトナレニ近衛公ノ許ニ出入シテ居リマシタカ昭和十二年第一次近衛内閣成立シ同年七月盧溝橋事件勃發スルヤ私ハ岩永同盟社

長ノ勧メニヨリ上海ニ宋子文等支那側要人ノ意向ヲ打診ニ出掛ゲル前近衛公ニモ相談シ又歸朝後情勢ハ悪化シテハ居リマシタカ上海ノ情勢ヲ報告シマシタ其ノ後所謂工作カ近衛内閣ニ依ツテ取上ゲラレルヤウニナツテカラハ屡々公ニ會ツテ意見ヲ具申シ昭和十三年十二月二十二日ノ「更生新支那トノ國交調整ニ關スル根本方針」ノ聲明ニハ私ハ牛場秘書官、松本重治、尾崎秀實等ト共ニ公ヨリ聲明案ノ起案ヲ命セラレ牛場秘書官ノ官邸ニ於テ缶入テ案ヲ練リ之ヲ近衛首相ニ提出シマシタカ採用サレス中山優氏ノ執筆シタ案ニ公自身修正ヲ入レラレテ聲明文カ出來上リ之カ正式ナモノトシテ發表ニナリマシタ

昭和十四年一月第一次近衛内閣總辭職トナリ次イテ近衛公ハ樞密院議長トナリマシタカ私ハ樞密院議長當時ニモ二、

三回會ツテ支那問題ニ付キ話合ツテ居リマス
昭和十五年六月二十四日近衞公ハ輕井澤ニ於テ新体制ニ關スル談話ノ發表ヲ行ヒマシタノデ私ハ早速輕井澤ニ赴キ近衞公ニ會ヒ新体制ヲ作リ上ゲルニハ青年層ニ呼掛ケ青年層ヲシテ古イ殻ヲ脱シテ大同團結セシメ之ヲ手足トシテ使フベキデアル旨進言シ公ノ贊同ヲ得テ歸リ此ノ方面ノ人々ヲ招致シ青年層ノ糾合ニ努力シマシタカ思フニ委セズ其ノ間新体制ハ私ノ意圖ニ反シ政黨解消ノ方向ニ進ミ上層部ノコトトナリ終ツテ了ヒマシタノデ興味ヲ失ヒ其ノ後暫クノ間ハ公衞公トノ關係モ不即不離ノ狀態ヲ續ケテ居リマシタ
選ニ近衞公トノ政治的關係カ密接トナツタノハ昨年八月内閣囑託トナツテカラノ事テスカ其ノ點ニ關シテハ後ニ申上ケルコトニ致シマス

世間デ私ヲ近衞公ノ側近ノ一人ト見テ居ルコトハ自分デモ承知シテ居リマス私ハ屢々人カラ近衞側近ノコトヲ尋ネラレテヰマスカ私ハ其ノ時ニ必ス近衞公ニハ側近者カアルト云ヘバ言ヘルシ又ナイトモ言ヘルト答ヘテ居リマス　其ノ譯ハ近衞公ハ積極的ニ近付イテ來ル者ハ誰ノ關ニ近付ケマスカ同時ニ此ノ人達ノ中ニ本當ノ手足トシテ使ツテ行カウトサレル人ハ殆トナイヤウテアリ從ツテ公ニ近付イテ行ク者ヲ側近者ト云フナラバ極メテ廣範圍ノ人達カ之ニ包含セラレマスシ若シ又狹ク解釋スレハ側近ハ余ウナイトモ云ヘルト思ハレルカラデアリマス　私達ノ所謂朝飯會ノメンバー中ニ近衞公ノ側近者ヲ強イテ求メレバ牛場友彦位カ之ニ該當スルト思ヒマス　尤モ朝飯會ノ他ノ連中カラハ私及松本重治モ同樣側近ニ數ヘラレテ、ヰタヤウテスカ私ノ場合ニ於テハ寧ロ近衛公カ私ヲ育テ上ケヤウトスル氣持カ大イニ動イテ居タモノト察セラレルノテアリマシテ此ノ點ハ松岡洋右氏ニ對スル場合ト同樣テアリマス

八、問　所謂朝飯會ニ付キ述ヘヨ

答　第一次近衛内閣ノ成立後昭和十二年秋頃

内閣總理大臣秘書官

牛場友彦

同

岸道三

ヲ中心トシテ

松本重治

蠟山政道

佐々弘雄

笠　信太郎
渡邊　佐平
平　貞蔵
尾崎　秀実
私

等カ集リ政治上ノ意見ヲ開陳シ内閣秘書官ヲ通シ之ヲ具申シテ近衛内閣ヲ支援シテ行クコトニナリ屢々會合シテ意見ヲ陳ヘテ來マシタ此ノ際ニハ時ニ内閣書記官長風見章氏モ出席シテ居リマシタ　昭和十三年夏尾崎秀実カ内閣嘱託トナツテカラハ月ニ二回位朝飯ヲ共ニシ乍ラ話合フコトニナリ更ニ昭和十四年以降ハ定期的ニ毎週水曜日ノ朝集ルコトニナリマシタ　左様ナ譯テ此ノ會合ヲ朝飯會或ハ水曜會ト稱シテ居リマシタ　會合ノ場所ハ第一次近衛内閣時代ハ秘書官

官舍第一次近衛内閣總辭職後ノ數回ハ万平ホテル、昭和十四年頃以降昭和十五年七月頃迄ハ駿河臺ノ私宅、其ノ後ハ總理官邸日本間テアリマス　昨年七月中頃カラハ定期的テハナクナリ暫々杜絶エテ居タコトモアリマシタカ第三次近衛内閣總辭職迄ノ間三、四回ハ開カレテ居リマス

尚此ノ會合ニハ

犬養　健

三郎コト松　方　義　三　郎

モ時々出席シテ居マシタ

此ノ會合ノ趣旨ハ各人ヨリ建設的ナ意見ヲ述ヘ両秘書官ヲ通シテ近衛公ノ政策ニ反映セシメテ行クコトニ在ツタノテスカ何時トハナシニ建設的意見ノ開陳ハ乏シクナツテ行キ遂ニハ情報ノ交換ヤ政策ノ無責任ナ批判ニ墮シ最初考ヘタ

ヤウナ藉辭ハナクナツテ來マシタカラ私ハ一條牛場秘書官ニ其ノ無意味ヲ指摘シ廢メタガ宜イト言ツタコトモアリマシタカ同秘書官ハ何カノ意味モ有ラウトテ解散ニハ贊成セス其ノ儘續イテ來タノデアリマス

此ノ會合ニ於ケル昨年中ノ話題ノ主ナルモノハ

大政翼贊會問題

獨ソ戰及之ニ對スル日本ノ政策日米交涉

等デアリマシタ

九 問 尾崎秀實トノ關係ハ

答 私ト尾崎秀實トノ關係ハ昭和十一年牛場友彥ノ勸誘ニ依リ米國加州ヨセミテニ於テ開催サレタ太平洋問題調査會第六回大會ニ日本代表團ノ書記トシテ出席スルコトニ決ツタ時牛場ヨリ代表團ノ一人デアツタ尾崎ヲ紹介サレタノニ始ツ

テ居リマス

私ハ同大會ニ出席ノ為大洋丸デ尾崎ト[illegible]テ同シクシヨセミテニ於ケル會議中モ毎日顔ヲ會ハセ又歸途ノ龍田丸デモ船室ヲ同シクシ其ノ間同人ヨリ支那問題等ニ付テ卓見ヲ聽カサレ大イニ敬服シ此ノ旅行ヲ契機トシテ極メテ親密トナリ歸朝後モ時〻食事ヲ共ニシ相互ニ自宅ヲ訪問シ又私ノ關係シテ居タ雜誌「グラフイツク」ニモ數回執筆シテ貰ツタリシマシタ

私ハ從テヨリ協力者トシテ有能ナ人物ヲ求メテ居マシタカ尾崎ハ人物モ良ク才能モ優レテ居ルノデ斯樣ナ人ト近付キニナツタコトヲ私ニ喜ビ將來ハ自分ノ良キ協力者トナリ得ル人ト考ヘテ來マシタ

其ノ後第一次近衞内閣カ成立シタノテ私ハ近衞公トノ關係モアリ及ハス乍ラ氣付イタ意見ヲ具申シテ近衞内閣ニ[illegible]

的ニ協力シヨウト考ヘ牛場尾崎松本等ト意見ヲ交換スルコトニヨリ自分ノ考ヲ纏メル助ケトシ又同人等ヲシテ積極的ニ近衛内閣ニ協力セシメヨウト努メ従テ尾崎ト會フ機會モ一層頻繁トナリマシタ

然ル處昭和十三年夏頃尾崎ヨリ「外務省ノ囑託トナツテ北支ニ行ケトノ話カアツタ處ヘ更ニ内閣囑託ニナラヌカトノ勸誘ヲ受ケテヰルカドウスヘキカ」ト相談ヲ受ケマシタノテ私ハ「君ハ支那ノ事ニハ一應通シテ居ル上ニ日支關係ノ中心ハ今後ハ北支テハナク中支テアル　ソレニ近衛首相ニハ取巻キカ多イカ實ハ準備ノ手足トナル者ハナイノテアルカラ此ノ際支那行ハ思ヒ止ツテ内閣ヲ積極的ニ援ケル仕事ヲスル方カ國家ノ爲メニナル」ト内閣囑託ニナルコトヲ勸メマシタ尾崎モヨク考ヘテ見ルトノ事テ別レマシタカ其ノ後

内閣總辭職ヲ受諾シタトノ事ヲ聞キ私ハ大イニ驚イタノテアリマス其ノ後牛場岸兩秘書官カ近衞公ニ全般的意見ヲ具申シテ近衞公ニ積極的ニ協力スル人物ノ集リヲ持ツトノ事ヲ聞キマシタカ現實ニ出來テ見ルト私ト尾崎モ其ノ内ニ加ヘラレテ居リ此ノ關係カラ尾崎ト私トノ關係ハ從來ノ私的ナモノカラ公的ナモノニ擴大シ更ニ密接ノ度ヲ加ヘテ行キマシタ近衞内閣成立直後盧溝橋事件カ起リソレカ支那事變ヘト發展スルニツレ日支問題ヲ如何ニ處理スヘキカガ私達ニ與ヘラレタ大キナ課題トナツテ來マシタ　支那問題ハ尾崎ノ殊ニ得意トシタ題目テ從テ之レニ付テ同人ヨリ教ヘラレル處極メテ多ク自分ノ考ヲ纏メルニ付キ尾崎ノ意見ハ大イニ參考トナリマシタ　其ノ間事變ノ擴大ヲ如何ニシテ防止スヘキカ又擴大後ニ於テモ事變ヲ全面的根本的ニ解決スル時期及

其ノ方面等ニ就テモ話合ヒ殊ニ汪兆銘問題ニ関シテハ大イニ意見ノ交換ヲ行ヒマシタ　其ノ後欧洲情勢カ急迫ヲ告ケ日本モ世界ノ新秩序ヲ建設ニ務ヘネハナラヌ情勢トナリ支那事変ノ解決ト共ニ此ノ問題ハ日本ノ世界政策ニ新ニ大キク登場シテ来マシタカ此レニ関シテモ私ハ尾崎ト屡々論議シマシタ

私ハ情勢カ緊迫スル毎ニ何トカシテ建設的ナ意見ヲ纏メタイ気持カラ尾崎ノ才能ニ少カラス求ムル處カアリ私自身彼ヲ誘フト共ニ同人ヲシテ風見氏ノ経路ヲ通シテ或ハ直接ニ近衛公ニ[illegible]内ニ協力セシムルヤウ仕向ケテ来マシタ

要スルニ私ハ尾崎ナル者ハ情誼ニ厚ク私等ニ[illegible]ク非常ニ傑穎出衆ル處ノ人物デアリ其ノ知識才能ニ於テハ単ニ支那問題ノミナラス国際政治ノ問題ニ関シテモ亦政治一般ニ就テ

モ動搖セスルシ優レタモノヲ持ツテ居ル様ニ見ル人物トシテ信頼シ且欽服シテ來タノデアリマシテ尾崎ト交際繼續カラ私ノ啓發サレタ點ハ極メテ多ク又現在ノ國家ノ最重大期ニ直ニ國家ノ爲ニ積極的役割ヲ爲ス事ノ出來ル人物トシテ期待ヲ懸ケ更ニ將來モ斯ル協力關係ヲ益々發展サセ得々自ラカ大キナ問題ヲ擔當シナケレハナラヌ時期ニ至ツタ場合ノ良キ協力者トシテ常ニ心ノ裡ニ用意シテ置イタ人物ノ一人テアツタノテアリマス

尾崎ノ思想的傾向ニ就テハ世間テハ左翼的トノ評モアリマシタカ私ハ左傾ニハ考ヘヌ同人ノ執筆論文ヤ日頃ノ談話ヲ通シテハ寧ロ左翼トハ反對ナ立場ニアルモノト考ヘ牛場ト話合ツタ時尾崎ハ赤デハナク黒ダト言ツテ尾崎ノ思想ヲ評シタコトサヘアル位テ尾崎カ左翼事件テ檢擧サレタ事ヲ聞

イタ後テサヘ本當トハ受取レナカツタ譯デアリマス

検事訊問調書（三月三十日附）

被疑者 西園寺公一

一、問 被疑者ハ第一回訊問ノ際尾崎秀實ニ對シ國家ノ機密ヤ軍事上ノ秘密ヲ漏シタコトハナイト述ヘタガ之ニ付キ何カ云フコトハナイカ

答 私ハ最初ノ御訊問ノ際其ノ様ニ述ヘマシタカ實ハ御訊ネニ該當スル様ナ事實カアリマスノテ率直ニ此ノ事實ヲ申述ヘマス現在記憶ニアルノハ

支那問題特ニ汪兆銘工作ニ關スルモノ

日獨及日ソ問題ニ關スルモノ

日米交渉ニ關スルモノ

其ノ他テアリマス　私ハ之等ノ問題ニハ直接若ハ間接ニ關

係ヲ特ヲ種々ノ事實ヤ情報ヲ知リ得ル地位ニ在リマシタノ
デ其ノ知リ得タ範圍ニ於テ陳述シテ居ルノデアリマス

三、問　汪兆銘工作ニ關與シタ關係ニ付キ述ヘヨ

答　汪兆銘工作トハ云ヘナイモノカモ知レマセヌカ私ハ蘆溝橋事件ノ直後當時ノ同盟通信社長故岩永裕吉氏ノ命ニ基キ事件不擴大ノ可能性ノ有無調査ノ爲メ上海ニ渡リ松本重治ノ斡旋ニ依リ

宋子文
周作民
徐新六
高宗武

等ニ會ヒ之等支那側要人ノ意向ヲ打診シタ結果交渉ノ仕方ノ具合ニ依ツテハ局地的解決ノ可能性ナシトシナイ意見ヲ

待ツテ歸ツテ來マシタカ歸京シタ頃ニハ情勢ハ刻一刻擴大ノ方向ニ進ミ支那中央軍ハ續々北上シ又日本カラモ増援部隊カ派遣サレルト云フ狀態テ現實ニハ不擴大ノ餘地ヲ失ツテ來テ居リマス

抑々汪兆銘工作ノ出發ハ事變ノ直後ヨリ開始サレタモノテ松岡洋右氏ノ線ニアル西義顯、伊藤芳男ヤ影佐少將及其ノ系統ニアル今井大佐、犬養健並ニ松本重治等ニヨリ夫々行ハレ之カ近衞内閣ニ取上ケラレルニ至ツタモノト考ヘマス

昭和十三年晩春高宗武カ秘ニ來朝シタコトカアリマシタカ、私ハ此ノ際高宗武ニ會ヒ其ノ前年七月高宗武ト會ツタ時話合ツタ日支兩國ノ青年ノ提携ノ可能性ニツキ論シ相互ニ努力スヘキコトヲ約シマシタ　此ノ時ハ何モ知ラナカツタノテシタカ後ニナツテ考ヘルト高宗武ノ來朝ハ所謂汪兆銘工

作ノ経緯デ其ノ傀儡人カ発覚シタモノデアルコトカ推知サレマシタ。汪兆銘工作ノ初期ニハ日本側デハ其ノ工作ハ軍ヲ背景トシ其ノ了解ノ下ニ始メラレ具体的ニハ影佐氏ノ意ヲ受ケタ松本、西、伊藤等カ工作ニ當リ同人等ハ上海及香港ニ於テ汪兆銘引出ヲ斡旋シ其ノ関係方カラハ周佛海、高宗武、梅思平等カ當時重慶ニ居タ汪兆銘ト連絡シツツ之ニ策シテ居タノデアリマス　其ノ後昭和十三年秋頃高宗武、周佛海カ總ニ参謀本部ト打合セシマシタカ其ノ時私モ松本、西、伊藤、犬養其ノ他ト共ニ箱根ノ宮ノ下不二屋ホテルデ偽名ニテ會ヒマシタ　犬養ハ其ノ頃カラ此ノ運動ニ参加スル様ニナッテ居タノデアリマス　近衛内閣トシテモ其ノ頃カラ此ノ工作ヲ取上ゲル事ニナリ双方ノ話合ハ次第ニ具体化シタラシク間モナク同年十二月ニハ汪兆銘ハ重慶ヲ脱出シ影佐顧問ガ大変、伊藤等ニ顎ヘタレテハイーイヨリ上級ニ来リ同年十二月二十二日ノ近衛首相ノ「更生新支那トノ国交調整ニ関スル根本方針ノ声明」ニ呼応シテ同月三十日蔣介石ニ関シ通電ヲ発シマシタ此ノ工作ハ第一次近衛内閣ノ後ヲ受ケタ平沼内閣ニ引継カレ昭和十四年六月ニハ汪兆銘ハ高宗武、周仏海、梅思平ト共ニ秘ニ来朝シ平沼首相近衛公ト会見シマシタ私ハ汪氏来朝ノ直前当時ノ参謀本部第八課ノ課長、堀本満少佐ノ慫慂ヲ受ケ汪氏在京中ノ宿舎ノ斡旋ヲ依頼サレテ滝野川ノ故古川男爵邸ヲ世話シマシタカ其ノ関係モアツテ滞在二週間ハ一行ノ世話役ヲ引受ケ毎日ノ如ク其ノ宿舎ニ出入シテ居リマシタ

斯クシテ汪兆銘ヲ始メ其ノ一派ハ上海ノ仏国租界ノ一角ニ於テ新政府樹立ノ準備ヲ着々進メ一方日本側トシテハ影佐少

佐ヲ首腦トスル新調整機關カ設ケラレ之ニハ犬養健、外務省東亞局ノ矢野征記等モ參加シ汪側トノ間ニ具体的ナ現地交渉カ開始シマシタ其ノ間同年秋頃ニハ關係者カ滬ニ集結シ政府、及軍ノ上海ト聯絡シマシタカ私ハ[illegible]ト同様其ノ世話役ヲ引受ケマシタ。昭和十四年八月成立シタ阿部内閣ニモ汪兆銘工作ハ其ノ後引繼カレマシタ

私ハ同年十二月ノ上中旬ニ掛ケ十日間ニ亘リ上海、南京ニ旅行シ汪兆銘ヲ初メ周佛海、梅思平、陶希庠等ト會見シ又日本側ノ影佐、犬養矢野、伊藤等トモ會ヒ現地交渉カ進捗シツツアルコトヲ知ツテ歸京シマシタ　現地ニ於ケル交渉ハ間モナク一段落ヲ告ケ同年十二月末ニハ影佐、犬養等ハ連絡ノ爲メ飛行機テ歸京シテ居リマス

其ノ後昭和十五年三月三十日新國民政府ノ成立、南京還都

式カ取リ行ハレマシタカ私ハ還都式ノ直後白井大佐等ノ勧ニ依リ新政府成立後ノ現地ノ空氣ヲ見ル爲ノ上海、南京ニ赴キ松本重治ト共ニ汪兆銘ト會見シ又陳公博、梅思平、林柏生、夏奇峰、周隆庠 トモ會ヒマシタ、汪兆銘トノ會見ニ於テハ同氏ノ近衛公ニ對スル傳言トシテ「新政府ハ成立シタモノノヤリ難イ現實ノ數々カアルカ兎ニ角新政府カ獨立シタ政府デアルトノ面子ヲ持タセテ貰ヒ度イトノ點デ其ノ爲先ツ㈠上海、南京間ノ鐵道ヲ日本側ヨリ離シテ支那人ノ手ニ依リ運營セシメテ欲シイ、㈡物資ノ蒐集、例ヘハ米ノ關聯サセ支那側ノ手ニヨリ日本軍ノ需要ヲ充ス樣ニシタク現在ノ如ク軍ニ依リ押ヘラレテ居ル状態テハ新政府ハ民衆ノ信頼ヲ得ルニ由ナク、又値段ノ點モ支那側ニ於テ行フ方カ寧タナル可能性カアル、㈢南京城内丈ケテモ支那人ニヤ

ラセテ欲シイ様ト云フ申入ヲ受ケテ歸リ之ヲ近衛公ニ傳達致シマシタ

南京還都後阿部特派大使一行カ南京ニ赴キ昭和十四年十二月ノ内約ニ基キ汪兆銘トノ間ニ日華關係ノ基本條約ヲ締結ノ爲ノ折衝ヲ開始シマシタ　犬養健ハ同大使ニ隨行シ交渉委員ノ一人トシテ之ニ參加シテ居リマシタ同年八月末ニハ現地交渉カ成立シ九月ヨリ十月ニ掛ケテ[illegible]ヨリ阿部大使、影佐、犬養、矢野、日高參事官等カ來テ内閣ニ於ケル最終的ノ審議ヲ盡シ十一月三十日條約ノ調印ヲ終リ日華間ニ基本條約ノ調印ヲ見タノテアリマス

以上申述ヘタ次第テ私ハ汪兆銘工作ニハ相當深ク關係ヲ持ツテ居タノテアリマスカ右様ナ關係カラ犬養健ヨリ昭和十四年十二月現地交渉ノ結果成立シタ日華間ノ内約ナルモノ

及昭和十五年八月成立ヲ見タ日満華本経済関係ノ案ヲ見セラレ両者ハ之ヲ選取リ其ノ結果所ニ示シテ居リマス

三、問　然ラハ日華間ノ内約ナルモノヲ入手シタ経緯ヲ述ヘヨ

答　前ニ述ヘタ通リ現地交渉カ一応纏ツタ昭和十四年十二月末影佐、犬養等カ飛行機デ帰ツテ来タ直後ノ昭和十五年一月上旬頃四谷南町ノ犬養宅ヲ訪問シタ時同人ヨリ美濃版用紙五、六枚ニタイプシタ内約ノ條文ヲ見セラレマシタノデ其ノ場デ四百字詰大型黄色ノ原稿用紙四、五枚ノ紙面ニ万年筆デ急イデ書取リマシタ此ノ原稿用紙ハ[illegible]河畔ノ本部ニ持ツテ置キマシタカ丸山町ニ引越スル際書類ヲ整理シタトコロ他ノ汪兆銘工作関係文書ト共ニ出テ来マシタノデ一緒ニ焼却シマシタカラ現在ハ手許ニハ残ツテ居リマセヌ

四、問　其ノ内約ノ様ナ機密事實ヲ見セタ結末ハ

答

私ハ内約ヲ寫取ツテ置キナイ明治十五年一月上旬頃尾崎ニ原稿用紙ニ寫取ツタモノヲ見セテ居リマス當時尾崎モ内約ノ條件等ニ關心ヲ持チ研究シテ居リ鳳見書記官長ヤ犬養健等ニモ此ノ問題ニ付キ意見ヲ具申シテ居タト記憶シマスカ左樣ナ關係モアリマシタノデ尾崎ガ駿河臺ノ私宅ニ來タ時内約ノ寫ノアルコトヲ話シマスト一寸ソレヲ見セテ呉レ研究シテ見ルカラト云ヒマシタカラ私ハ其ノ寫ヲ出シテ同人ニ見セマシタ、此ノ文書ハ急イテ寫シタ罫紙リ書キトナリ讀ミ憎イト思ヒマシタカラ「汚イケド判ルカ」ト云ヒマスト尾崎ハ「判ル」ト云ツテ讀ンデ居タコトヲ判然憶ヘテ居リマス

併シ此ノ文書ヲ尾崎ニ貸與シタカ將又其ノ儘デ見セテ暫ク返還ヲ受ケタカノ記憶ハ判然致シマセヌ

五、問　尾崎秀實ハ被疑者ヨリ十日間程借受ケ返還シタ旨又借受ケタ文書ハ二段書ニナツテ居タ旨供述シテ居ルカ如何

答　只今モ述ヘタ通リ尾崎ニ其ノ文書ヲ貸與シタカ否カハ記憶カ判然シナイノテアリマスカ若シ尾崎カ寫取ツテ居ルトスレハ其ノ文書ハ相當ノ量ノモノテシタカラ被ヘ問人ノ云フ通リ貸與シタカトモ考ヘラレマス其ノ原稿用紙ノ書方ノ點ニ付テハ尾崎ノ供述ハ明ニ間違ヒテアリマス　私ハ二段書ニハセヌ縦ニ續書キニシマシタ此ノ點ハ丸山町引越ノ際ニモ其ノ文書ヲ見テ居リマスノテ私ノ記憶ニ間違ヒアリマセヌ　但シ文書ノ一部ニ二段書ノ箇所カアツタカ否カハ判然シマセヌ

六、問　其ノ内納ナルモノノ内容ハ

答　私ノ寫取ツタ内納ナルモノノ内容ハ大別シテ四點ニ分ケラ

レルト記憶シテ居リマス
第一點ハ所謂近衞三原則ヲ基本トシテ掲ク(一)善隣友交、(二)互惠平等、(三)不割讓非賠償ノ原則的ナルモノヲ記載シ第二(二)ノ互惠平等ニ付テハ經濟合作ヲ中心ニシタ事項デアツタト記憶シマス　第二點ハ特殊地域ノ問題カ取上ケラレ北支ハ滿洲ト緊密ナ關係カアルノデ經濟的ニモ日本ハ北支ニ於テ特殊ノ地位ヲ占メ蒙疆モ同樣ノ意味ニ於テ特別ニ取扱ハレ又中支ノ三角地帶ニ在ツテハ日本ノ優先的地位ヲ保證スルモノデアリマシタ　第三點ハ日支共同防衞ノ問題デ之カ爲日本軍駐屯ヲ規定シテ居リマスカソレニハ防共駐屯ト治安駐屯ノ二カアリ前者ニ於テハ共產主義防衞ノ爲メ支那側ニ協力スル意味ニ於テ北支蒙疆ノ軍事的要地ニ日本軍カ駐屯シ後者ニ於テハ支那事變ノ爲メ起ツテ居ル現在ノ無秩序カ平靜ニ復スル迄治安維持ノ爲日本軍ハ占領地域一帶ニ駐屯シ且ツ其ノ撤兵時期ハ平靜ニ復シテヨリ五ケ年間ト定メラレテ居タ樣ニ思ヒマス　第四點ハ日滿支三國ノ共存共榮ノ原則的ナモノカ掲ケラレ滿洲國ノ承認ヲ其ノ實際テ現ハシテ居タト記憶シマス　内約ナルモノノ内容ハ以上述ヘタ通リテ將來ノ日華關係ノ基本的ナルモノノ成立スル場合ノ基礎トモナルヘキ重要ナモノテ軍事ニ關スルモノヲ含ミ且ツ將來正式ナ條約ヲ締結シタ場合ニモ發表ニハ出サレナイテ秘密ニ付セラレル樣ナモノ迄ヲモ含ンテ居タノテアリマシテ日本ノ政治上軍事上重要ナ意味ヲ有スルモノテアリマス

七、問　何故左樣ナ文書ヲ尾崎ニ見セタノカ

答　尾崎ハ内閣囑託時代風見書記官長ニ支那問題ニ付キ意見ヲ具申シ又汪兆銘工作ト關聯アル昭和十三年十二月二十二日

ノ近衛聲明ノ立案ニモ直接關係シタ様テ汪兆銘工作ニハ直接ノ關係ハアリマセヌカ内部的關聯的ニハ關係カアツタト云ヘマス　既ニ申述ヘタ通リ私ハ尾崎カ支那問題ニ通シテ居ルノテ昭和十三年中頃カラ此ノ工作ニツキ兩人ノ意見ヲ徴シタリシテモ居リマシタ尾崎ハ最初ハ此ノ工作ニ消極的テアリ汪ハロボツト化シ終テ之ニヨリ支那ヲ動カスコトハ不可能テアルカラ無駄ナ事テアルトシテ反對ノ態度ヲ持ツテ居マシタカ交渉カ次第ニ進ムニツレ大衆ノ獲得モアツタリシテ認識ヲ新ニシ從來ノ態度ヲ變ヘテ積極的ナ意見ヲ述ヘル様ニナツテ來テ居リマシタ左様ナ次第テ今ニシテ想ヘハ甚タ輕率テアリマシタカ其ノ當時トシテハ信頼スルニ足ル友人テモアリ且ツ支那問題ニ付テハ私ノ先輩テアツタバカリデナク汪兆銘工作ニ一層積極的ニ協力シテ貰ヒ度イトノ希モアリマシタノテ求メラレル儘ニ見セ文タ次第テアリマス

八、問　犬養健ヨリ日華基本條約關係ノ案文ヲ見セラレタ顛末ヲ述
へヨ

答　前述ノ内約ナルモノカ基本トナリ昭和十五年八月末頃現地
交渉ノ結果日華基本條約及其ノ附屬秘密ノ案カ出來上リ同年
九月ニハ影佐犬養等現地關係者カ上京シ内地ニ於ケル最後
的ノ審議ヲシタノデスカ私ハ其ノ當時四谷南町ノ犬養宅ヲ
訪問シタ時薄漉紙ノ樣ナ日本紙六、七枚ニタイプシタ案文
ヲ見セラレタノデアリマス其ノ内容ノ詳細ハ記憶シマセヌ
カ前ニ見セラレタ内約ノ要點ハ大体含マレテ居マシタガ之
ト相違シテ居ル點ハ

(一)新ニ海南島ノ問題カ取入レラレタコト此ノ問題ニ付テハ
日支兩國ノ共同防衛ト云フ文字カ用ヒラレ尙經濟的ニモ
日本ニ優先權ヲ認メテ居ルタコト

(二)前ノ內約ヨリモ支那ニ讓セラレタ條件カ惡クナッテ居ルコト

曾テ犬養ノ說明デハ(一)ノ日支共同防衛ハ汪政府ニ軍隊カナイノデ日本軍ノミノ海南島駐屯トナル譯デアリ又他ノ地域ニ於ケル日本軍ノ駐屯ニ付テハ支那側ニハ不平カアッタトノ事デアリ從シテ支那側トシテハ政府ヲ樹テル以上夫カ解決シナケレバナラヌノニ平等デナイ爲民衆ニ對シテ非常ニヤリ苦イト不平ヲ云ッテ居ルトノコトデアリマシタ

此ノ文書ニハ同年十一月末政府ヨリ發表サレル條約文ハ勿論含マレテ居リマセヌカ其ノ發表ノ際示サレナカッタ秘密ノ附屬書ノ類モ纏メラレテ居リマシタカ私ハ此ノ文書ハ見セラレタノミデ寫取ッテハ居リマセヌ一讀シタ上デ直ニ犬養ニ返還シマシタ

九

問　日獨及日ソ關係ハ

答　獨ソ關係ノ變ノ入ッタ六月二十二日ハ丁度[illegible]三月ノ[illegible]ノ一行ノ集リガ芝ノ料亭「依賀野」デ開カレル日デアリマシタ集ッタノハ永井大佐、櫻井中佐、外務省ノ坂本歐亞局長、加瀬秘書官、長谷川秘書官、岡野ノ隨員二、三、私等デ松岡外相モ一寸顏ヲ出シタト思ヒマス同日ハ獨ソ開戰ノ噂ニ持切リ一[illegible]大島大使カラ是非參戰ニ呼應シテ立テト激シク云ッテ來ルニ違ヒナイデアラウ」トノ意見モ出マシタ此ノ時ハ纏ッタ話ハナク解散シマシタカ其ノ後暫シテ大島大使カラ日本ハ獨逸ニ對シ軍事同盟ノ義務ガアルカラ早ク獨逸ニ呼應シテ起テト云ッテ來タ樣ヤ駐日獨逸大使オットヨリモ同シ樣カ云ハレテ來タ導等ヲ閣僚個別ニ遊ヒニ行ッタ時期カアッタ閣内又閣議等ニ於テハ活潑ニ獨ソ戰ノ見透ヤ日本ノ操ルヘキ施設ニ付キ論議サレマシタ　大本營ノ連絡會議等ニ付テモ平沼内閣當時ノ日獨軍事同盟ノ問題ノ時ノ如ク小田原評定ニ終ハルノデハナイカトノ見透モ話サレ又松本重治カラハ大島大使ヤオツト大使カラノ聯絡ニ關シテ陸軍ハ何等積極的ニ動キ出シテ居ナイトモ云フ情報モ齎ラサレマシタ獨ソ戰ノ見透ニ付テノ論議ハ殊ニ活潑テ私ヤ牛場ハ一獨逸軍ノ進撃振リカラ見テ獨逸ハ軍事的ニ壓倒的且小縮メテ迅速ニソ諸準ヲ整ヘ二ケ月モスレハソ聯ハ敗戰ヲ喫シ内政的ニモ崩壞ヲ來タシテスターリン政權ハ倒レソ聯ハ獨逸ニ屈服セサルヲ得ナイデアラウ夫レデ獨伊トシテハ其ノ勢ニ乘シテ歐洲ノ征服ノミデ滿足セスシテシベリヤ迄例ヘ擴トシナイトモ限ラヌソウナレハ日本トシテハ不利ノ立場ニナリソ聯ニ關スル發言權ハ全然ナクナリハシナイダラウカ、デアルカラソウナル前ニ例ヘハモスコー會談ノ前途ト云フ幾ナ好イ時期ヲ捉ツテ積極的ニ獨ソ間ノ調停ニ立ツ行方カ考ヘラレルノデハナイダラウカ、之ニ成功スレハ日本ハ戰爭ニ依ラスシテ利權ヤ北樺太ノ問題ヲ有利ニ解決シ得ルデアラウ」

ト云フ意見ヲ述ヘ又細川將軍ノ許ニ出入シテ作戰ノコトヲ聞キ知ッテ居タ佐々ハ

「作戰的ニ見テ其ノ隙ニ乘ジソ聯カ敗クルコトハナカラウ獨逸モ今後相當苦勞スルデアラウ」

ト云ヒ平貞藏モ略同樣ノ意見ヲ持ツテ居リマシタ　又ソ聯開戰ノ場合ノ政策ニ付テモ私ノ見透ト異リスターリン政權カ崩壊シテ獨逸ト妥協スル可能性ヲ主張スルモノモアリマシタ

私個人ノ意見ニ對シ尾崎ハ反對デ

「ソ聯ハ立上リハ拙カツタカソ聯ニハ底力カアリ之ハ未タ出テ居ナイ一度戰線カ膠着状態ニナルトソ聯内部ノ脆弱ノ危險性ヨリモ寧ロ獨逸内部ニ色々ナ不滿カ現ハレテ來テ獨ソ戰ヲ遂行スルコトカ出來ヌ樣ニナル可能性サヘ有ツテ來ル

假令戰術的ニ獨逸カ勝ツタトシテモ戰術[illegible]永イ年月ヲ要シテ居ルコトテアルカラスターリン政權ノ崩壞ハ暫ク後ニスターリンカ死ンタリ或ハ之ニ代ルモノヲ持ツテ來テモ國民ハ就イテ來ナイニ違ヒナイダカラ内政的紛擾ハ堪ヘラレナイシ獨逸カ自己ニ都合ノ良イ政權ヲ樹テテモ永續キハシナイテアラウ」

ト述ヘ尚日本ノ對ソ戰ニ關シテハ

「ソ聯軍ハ相當強ク從テ犧牲ヲ多ク出スコトヲ覺悟シナケ

レハナラヌノニ比シシベリヤニハ此ノ犠牲ニ價スル丈ノ經濟的ノ何物モナイカラソ聯トハ戰フヘキデナイ」トノ意見ヲ述ヘテ對ソ戰ニ反對シ殊ニ牛場トハ全ク見解ヲ異ニシ際ニ激論シマシタ其ノ後スモレンスク地區ノ戰線カ膠着シ獨逸ノ攻勢カ鈍ツテ來ルト尾崎ハ得意ニナツテソレ見タコトカト云フ態度テ自己ノ見透ノ間違ツテ居ナカツタ事ヲ強調スル樣ニナリマシタ　私ヤ牛場ハ此ノ點ニ於テ獨ニ[illegible]テ過ツテ居リマシタカソウナツテカラハ益々吾々ハ日本ニヨル獨ソ間ノ調停ノ必要ヲ力說シマシタカ夫ニ對シテハ尾崎ハ冷淡テシタ

間其ノ頃ノ朝飯會ノ席上テ條約ノ解釋論カ話題トナリマシタ卽チ日獨伊軍事同盟ハ日本ノ外交政策ノ根幹ヲ爲スモノテアリ[illegible]サヘ[illegible]イテ出來タモノテアルカラ漸ニ[illegible]

カ出ナイ限リ側ノモノニ優先スルモノデアリ従ツテ日ソ中立條約ト三國軍事同盟カ矛盾スルコトニナレハ當然軍事同盟カ優先スルト云フ考方ト他方ニハ日獨伊三國同盟條約當時ハ獨ソ戰ハ豫想サレス且ツ對ソノ問題ニ付テハ寧ロ日獨双方トモ判然之ヲ對象トシテ居ナカツタコトハ同盟條約カ對ソ問題ニ觸レナカツタ條文上ニモ現ハレテ居ルトコロデ從ツテ全ク新シイ狀態カ生レタ場合ニハ其ノ狀態ニ應スル限リ日本トシテハ獨自ノ判斷ヲ爲シ得ルノデアツテ日ソ中立條約ノ評價ニモ此ノ立場ヲ採リ得ルト云フ考方デアリマシタ但シ斯様ナ解釋論ハ行ハレマシタカ何レカ正シイカトノ結論ヲ得タ譯デハアリマセヌデシタ

十、問　被疑者ハ尾崎ニ對シ政府及軍部ハ獨ソ開戰ノ事前ニ於テ會議ヲ開キ對獨ソ戰ニハ中立ヲ維持スル旨ノ決定ヲシタト話シタノデハナイカ

答　左様ナ事實ハ全ク記憶ニアリマセヌ私ハ開戰ノ二三日前外相官邸ニ於ケル財界人トノ茶話會カ何カノ席ノ後デ松岡外相カ大橋官外二三名ト雜談中大橋次官ヨリ「獨逸ハソ聯ヲ叩クダラウカ」ト云フト松岡外相ハ「ソンナ事ハナイヨ」若シアツタラ首ヲヤルヨ」ト云ツタノヲ覺ヘテ居リマス其後獨ソ戰カ始ツテカラ此ノ事ヲ思ヒ出シ松岡外相ニ見當カ違ヒマシタネト云フト外相ハ笑ニ紛ラシテアノ時ハアヽ云ツテ置イタノタト誤魔化シテ了ツタ事ヲ覺ヘテ居ル位デ私ノ印象テハ獨ソ開始前ニ獨逸ヨリ日本政府ニ對シテ豫メ何等カノ通告ヲ爲シテ來タト云フ事ヲ誰カラ聞イタ覺ヘハ

サク寧ロ反對ニ軍部ノ獨斷ヲセヌシテ戰爭ヲ開始シタコトニ對シ不滿ヲ抱イタ印象サヘアル位デ從テ尾崎ニ對シ御尋ネノ樣ナ話ヲ云ツタ記憶ハ全クナク尾崎ノ記憶違ヒカト思ヒマス

十二問　昭和十六年七月二日ノ御前會議ノ内容ヲ尾崎ニ告ゲテハ居ナイカ

答　其ノ點ニ付テモ記憶カ判然トシマセヌ
私ハ御前會議ノ決定事項ハ
「獨ソ戰ニ對シテハ當面中立ヲ維持シシベリヤニ對シテハ攻勢ニ出テルコトナク其ノ獨ソ戰トノ關係ハ從來ノ方針ニ基キ交渉ヲ進メル但シ從來國境方面ノ紛爭モアツタ上ニソ聯トシテハ戰時下ノ苦戰狀態ニアリ且ハアメリカノ援蘇聯ノ關係モアルノデ國境ノ紛糾事件ヲ警戒トシテ日ソ

カ全面的戦争ニ入ル危險モアルカラ此ノ際北方ニ對シテハ如何ナル事態トナツテモ之ニ應シ得ルカ如キ態勢テ備ヘル爲兵力増強ヲ行フコト、南方ニ對シテハ泰、佛印ト緊密ナル關係ヲ作リ南方ニ對スル作戦的基地ヲ獲得シ南方ヨリスル包圍陣ニ對抗シ得ル軍事的地歩ヲ獲得スルコト」

以上ノモノテアツタト察シテ居リマシタ此ノ御前會議ノアツタ直後海軍省ニ藤井茂中佐ヲ訪ネ應接間テ面會シタ際藤井中佐ヨリ「自分ノ考ヘ通リ巧ク行ツタ」ト御前會議ノ決定カ藤井中佐ノ豫ネテ考ヘテ居タ通リ決定シタコトヲ知ラシテ呉レタノテ知ルコトカ出來マシタ藤井中佐ハ現在ハ聯合艦隊ノ參謀ヲシテ居リマスカ當時ハ軍務局第二課ニ勤務シ私トハ訪欧當時隨行ヲ共ニシタ關係テ知合ヒ親シク交際シ

タ結果互ニ共鳴スル處カアリ公私共ニ感ク合フコトヲ約シタ発端ノ如キ關綱テス左樣ナ關係テ獨ソ開戰後ハ此ノ國際政局ニ日本ハ如何ニ處スヘキカニ付テ屢々意見ノ交換ヲ行ヒマシタカ藤井中佐ハ

「第一ニ問題ナノハ現在ノ日本ハ此ノ儘テハジリ貧ニナル外ハナイカラ英米蘭支ノ包圍陣ニ對抗シテ行クヘキ体制ヲ備ヘネハナラヌ最後ノ土壇場ニ追込マレテ後立上ッタノテハ既ニ遲イ兎ニ角南方包圍陣ニ對抗スル爲ノ足場ヲ築イテ何時テモ立上ルコトノ出來ル準備ヲスルコトカ肝要テアル、併シ南方全部ヲ一纜テ攻略スルト云フ意味テハナク包圍陣ヲ破ルヘキ活路ヲシッカリ掴ル準備ヲ必要トスルノテアル、夫レニハ泰、佛印ト堅イ協力關係ヲ作ルノカ一番適切テアル一方北ノソ聯トハ何時カハ戰ハネハナラヌカ今ハソノ時期デハナク寧ロ獨ソカ戰ツテソ聯カ弱ツテ來ルトキ迄待ツヘキデ飽迄主義テヤルヘキテアリ戰略的ニハ南方ヲ先ニヤルヘキテアル、但シ南方ニ對シテ基地獲得ノ爲軍事行動ヲ起セハ北方ヨリノ脅威カアリ南北兩面ヨリ包圍サレル危險カアルカラ之ニ備ヘル爲兵力增強ヲ行ヒ準備ニヨツテハ何時テモ立チ得ル態勢ヲ整ヘテ置ク要カアルカ飽ク迄北方シベリヤニ對シテハ當面攻撃ニ出スヘキテナイ」

トノ意見ヲ持ツテ居マシタカラ藤井中佐ヨリ「自分ノ考通リ旨ク行ツタ」ト聞カサレタ時同中佐ノ口頭ノ結論カラ見テ御前會議テハ先ニ述ヘタ通リノ決定ヲ見タモノト判斷シタノテアリマス

此ノ御前會議ノ決定事項ヲ尾崎ニ話シタカノ點ハ什ウモ判然トシマセヌ御前會議デコレ、ノコトカ決定シタト云フ風ニ具体的ニ尾崎ニ話シタ記憶ハ全クアリマセヌ

但シ御前會議ノアツタ前後頃ニハ尾崎ト時々會ツテ日本トシテハ此ノ情勢下ニ如何ニ處スヘキカニ付キ話合ツテ居ルノデ其ノ間ニ先方ニ夫レト察シノ付ク様ナ話ヲシタカモ知レマセヌカ私トシテハ御前會議ノ決定事項ヲ尾崎ニ知ラセテヤラウト意識シテ話シタ印象ハ全クナイノデ從ツテ察シノ付クヤウナ話ヲシタトシテモ如何様ニ話シタカハ記憶ニアリマセヌ

併シ八月下旬ノ軍ノ動員ニ就テ對ソ戦ヲヤラヌコトニ決定シタ事實カアリマスカ此ノ點ニ付テハ尾崎ニ話シテ居リマス

十三問　其ノ軍ノ會議ノ事實ニ付キ述ベヨ

答　七月二日ノ御前會議デ北方問題ハ一應決リマシタカ其ノ直後ニ行ハレタ動員ハ極メテ廣範圍ニ亘ル大動員デ世間デハ北方ニ對シテ戰爭ヲ開始スルノデハナイカトノ憶測カ盛ニ行ハレ又大島大使ヤ獨逸當局カラモソ聯ニ對シ軍事行動ヲ起セト督促シテ來タラシイ空氣カ察セラレ陸軍部内ノ若イ連中ノ間ニハ此ノ際ソ聯ヲ叩クトノ強硬論カ盛ントナツテ居ルトノ噂モ聯絡會議アタリテ話題ニ上ツテ來タノデ御前會議デ一應ハ決ツタモノノ亦北方ニ對シテ行動ヲ起スノデハナイカトノ疑惑ヲ持ツ様ニナリ第二次近衞内閣總辭職ノ直前頃ニハ一度松岡外相ノ處ニ行ツテ聞イテ見様カト秘ニ考ヘマシタカ突如内閣總辭職カ行ハレタノデ果シマセヌテシタ、斯様ナ憶測ハ其後モ續イテ居リマシタカ動員ノ終ツタ八月中旬頃キカ下旬ノ[illegible]朝食會ノ時ニ誰カカラ陸軍デハ各地カラ人カ來テ話合ツテ居ルト云フ事ヲ聞イタノデ對ソ戰ニ關シ陸軍ノ態度ヲ決定スル爲ニ中央デ相談シテ居ルモノト解シマシタ、各地カラ人カ來テ話合ツテ居ルト云フノハ關東軍支那總軍朝鮮軍ノ首腦者ト會談シテ居ルト云フ意味デアリマス朝食會デハ此ノ會議デ如何ニ決定シタカノ話ハ聞キマセヌデシタカ八月下旬富永ノ午餐會ノアツタ際藤井中佐ト二人丈ケニナツタ時私ハ藤井ニ「北ノ方ハ決ツタカ」ト聞イタトコロ藤井ハ「決ツタヨ」ト云ヒマシタカラ私ハ重ネテ「什ウ決ツタカ」ト尋ネルト其ノ言葉ハ忘レマシタカヤラン　ト云フ調子デソ聯ニ對シテハ戰爭ヲ開始セヌ事ニ決定シタ旨敎ヘテ吳レマシタノデ其ノ會議デ陸軍ノ態度カ決リソ聯戰ハ當面起サヌ事ニ決定シタ事ヲ知ツタノデ

アリマス
然ルニ其ノ二、三日後滿鐵ノ「アジア」デ尾崎ト一緒ニ旅行チ食ヘタ時尾崎ノ方カラ「軍人カ中央ニ集ッテ何カ相談シタラシイネ」ト云ヒ此ノ問題ニ付キ或ル程度知ツテ居ルラシイ口吻デ話ヲ持チ出シマシタカラ私ハ「決ツタラシイヨ」ト答ヘマスト尾崎ハ「ソウラシイネ」ト云ヒマシタカラ私ハ重ネテ「ヤラヌ方ニネ」ト云ヒマスト尾崎ハ「フン、フンソウラシイネ」ト云ヒマシタ此ノ話ハソレ丈ケノ極メテ簡單ナモノデソレカラハ別方面ノ話ヲシマシタカ其ノ時ノ事デ憶ヘテ居ルノハ尾崎カラ「上海ニ來テ呉レ」ト云ハレタカ私カ迷マスニ居タトコロ今度ハ田中滿鐵調査部長カ是非滿洲ニ來テ呉レト云ツテ來タノデ近ク滿洲ニ旅行スル譯ニシタ」トノ話カアリ間モ無ク出發スルラシカツタノデ私

ハ鯉カラ鯛木綿ヲ欲シイト云ハレテ居タノヲ思ヒ出シ尾崎ニ滿洲ニ行ツタラ鯛ヲ買ツテ來テ呉レト依頼シテ置キマシタ

軍ノ中央部デ對ソ戰ヲ行ハヌ事ニ決定シタト云フ事ハ軍ノ機密ニ屬スル事デ輕々ニ口ニスベキ事柄デナイ事ハ良ク存シテ居リマシタガ既ニ述ヘタ通リ相手カ信頼ヲカケタ尾崎ノ話デハアリ又先方カラ或ル程度知ツテ居ルラシイ口吻デ話ヲ持チ出サレマシタノデ遂ヒ不用意ニ額井中佐カラ聞イタ事ヲ告ケタ次第デ現在デハ甚ダ輕率デアツタト思ツテ居リマス

檢事訊問調書　（四月四日）

被疑者　犬養　健

一、問　氏名、年齢、職業、住居、本籍及出生地ハ如何

答　氏名ハ犬養　健

年齢ハ當四十七年

職業ハ中華民國國民政府顧問、前代議士

住居ハ東京市四谷區南町八十番地

本籍ハ右ニ同シ

出生地ハ東京市牛込區佐土原町以下不詳

二、問　位階勳等恩給年金等ハ

答　正五位勳三等テアリマス

三、問　學歴ハ

答　學習院ノ初等科中等科高等科ヲ經テ大正六年七月東京帝國

大學文學部哲學科ニ入學シマシタカ第三學年在學當時病氣ノ爲退學致シマシタ

四、問　職業經歴ハ

答　昭和五年以來四期ニ亘リ衆議院議員ヲ勤メテ居リマス選擧區ハ最初ノ二回ハ東京市第二區後ノ二回ハ岡山縣第二區テアリマス

其ノ他昭和六年十二月犬養ノ内閣總理大臣當時總理大臣秘書官ヲ命セラレ昭和七年五月五一五事件直後依願免官トナリ更ニ昭和十二年六月ヨリ昭和十四年一月迄ノ間遞信參與官ニ任セラレ昭和十四年一月ニハ參謀本部ノ囑託トナリ現在ニ至ツテ居リマス

右申述ヘタ外昭和十五年四月中華民國特派全權大使隨員ノ辭令ヲ受ケ日華間現地交渉ノ交渉委員トナリ新國民政府ト

ノ現地交渉等ニ關與シマシタカ同年十一月日華基本條約ノ成立ト共ニ自然解任トナリマシタ

私ハ昭和十六年二月中華民國國民政府行政院全國經濟委員會ノ顧問トシテ事實上ハ國民政府ノ軍事以外ノ一般政務ノ顧問ヲ致シテ居リマス

五、問　刑事上ノ處分ヲ受ケタ事ハナイカ

答　昭和五年議會内部ノ亂鬪事件ノ時東京地方裁判所檢事局ニ於テ取調ヘヲ受ケタ事、又昭和十二年選擧違反ノ嫌疑テ岡山地方裁判所檢事局ニ於テ取調ヘヲ受ケタ事ノ二回アリマスカ孰レモ嫌疑不十分テ何等處分ハ受ケテ居リマセヌ

六、問　被疑者ハ日華間國交調整ニ關スル双方ノ交渉途程ニ於テ條約案其ノ他ノ文書ヲ尾崎秀實、西園寺公一等ニ交シタ事ハナカツタカ

答

私ハ昭和十三年五月以来所謂汪兆銘工作ニ直接関係シ汪兆銘ノ重慶脱出後ノ昭和十四年五月以降ハ影佐陸軍少将（當時ハ陸軍大佐）ヲ機関長トスル梅機関（通称梅花堂或ハ影佐機関）ニ所属シ日本側ノ現地交渉員ノ一人トシテ支那側ノ陳公博周仏海其ノ他ノ交渉員ト折衝ヲ續ケテ居リマシタ此ノ下交渉ハ昭和十四年十二月三十日終了シ所謂「内約」ノ成立ヲ見マシタ

其ノ後昭和十五年四月阿部全権大使カ赴任シ此ノ「内約」ヲ基礎トシテ支那側トノ間ニ正式交渉ヲ開始シ同年八月末日華基本條約案及其ノ附属書案ノ一応ノ決定ヲ見マシタ現地ニ於テ成立シタ此ノ案ハ其ノ後多少ノ修正カ加ヘラレ同年十一月一日イニシャル、ヲ了シ次テ十一月三十日調印ヲ經テ正式ニ成立ヲ見タノテアリマス私ハ正式交渉ニ際シテモ

金澤大使ノ随員トシテ交渉会商ニ與ケラレ正式會議ニハ三回程出席シテ居リマス

左様ナ關係デ私ハ國民政府トノ交渉ノ間ニ成立シタ各種ノ文書ヲ閲覧サレル地位ニアリマシタカ私ト西園寺公一トハ昭和十三年五月高宗武來朝以來汪兆銘工作ノ協力者トシテ政治的關係カアツタ許リテナク私的ナ親密ナ交リモアツタ關係デ此ノ種ノ文書ヲ見セテ居ルト思ヒマス

又尾崎ハ支那研究家デ第一次近衛内閣當時内閣嘱託ニ任セラレテ居タ關係カラ其ノ頃ヨリ支那問題ニ關スル同ヤ人ノ意見ヲ聽シタリシテ割合ニ親シク交際シテ居リマシタカ左様ナ關係モアツタノテ同ヤ人ニモ此ノ種ノ文書ヲ見セタコトカアルト思ヒマス

七問

西園寺公一及尾崎秀實ニ見セタ文書ノ内容ハ

司法省

答　何時如何ナル内容ノ文書ヲ~~數~~両名ニ見セタカ什ウモ判然トシナイノテアリマス

八、問　西園寺公一ニハ昭和十五年一月頃所謂「内約」ナル物ヲ次テ同年九月頃日華間ノ基本條約案及其ノ附屬文書等ヲ見セタノデハナカツタカ

答　左樣ナ事カアツタト思ヒマス　見セタ場所ハ私宅デアツタ樣ニ思ヒマス

私ハ昭和十四年十二月末上海カラ上京シタ際所謂「内約」ノ要點ヲタイプニ叩イタ文書（十五、六枚ノモノト記憶シマス）ヲ持歸リマシタカラ此ノ文書ヲ西園寺ニ見セタノデハナカツタカト考ヘマス

昭和十五年九月ニ見セタ分ハ日華基本條約關係ノ文書ニハ相違アリマセンカ親睦交渉ノ結果成立シタ案文其ノモノデアツタカ其ノ概觀ノ樣ナモノデアツタカ判然シマセヌ但シ其ノ文書ノ内ニハ不公表ノ交換公文條約附屬ノ秘密ノ協定

ノ本文其ノモノ又ハ其ノ概要ヲ記載シタモノヲ含ムテ居タ
ト思ヒマス

九、問　尾崎ニハ昭和十四年九月頃問擬日華間ノ基本條約案及其ノ
附屬文書ヲ見セタノデハナカツタカ

答　同人ニ見セタ文書ハ條約案及其ノ附屬書ノ全文デアツタカ
其ノ趣旨ノ樣ナモノデアツタカ判然シマセヌカ確カニ其ノ
頃西園寺ニ見セタ前述ノ文書ト同一ノモノヲ尾崎ニモ見セ
テ居ルト思ヒマス

一〇、問　西園寺公一並尾崎秀實ハ犬養健ヨリ示サレタ文書ヲ寫シ
取ツタノデハナイカ

答　左樣ナ事モアツタト思ヒマス西園寺カ私ヨリ見セラレタ文
書ノ何レヲ書寫シタカハ判然致シマセヌ
尾崎ニ條約關係ノ文書ヲ見セタ時ニ同人ニ之ヲ貸與シタカ

吾カ此ノ點判然シマセヌ　然シ左樣ナ事カアツタカモ知レマセヌカ精シ貸シタトシテモ極ク短時間貸シタニ過ギナイト思ヒマス

二十一問　被疑者ハ西園寺公一及尾崎秀實ニ示シタ内約或ハ條約ニ關スル文書ノ重要性ハ如何ニ考ヘタカ

答　夫等ノ文書ハ日本側ト新國民政府側トノ間ニ取決メラレタ重要ナ事項ニ關スルモノデ日本軍ノ駐屯等ニ關スル秘密ノ取決メヲ含ムダモノデスカラ勿論秘密ヲ要スル種類ノ文書デアリマス

但其ノ頃ハ所謂汪兆銘工作ニ付種々異論モアリ流言蜚語ノアツタ時デシタカラ私達此ノ工作ニ直接關係シタ者トシテハ斯ル誤解ヲ一掃スル必要カアリ殊ニ西園寺及尾崎共直接或ハ間接ニ此ノ工作ニ關係シ或ハ努力シテ居テ呉レタノデ

重要ナ秘密ヲ要スル文牒テアルコトハ之ヲ知リツヽモ見セタ次第テアリマス　然シ現在テハ此ノ點ハ非常ニ緩卒テアツタト思ツテ居リマス

第二回訊問調書（四月十日）

犬養　健

一問　所謂汪兆銘工作ニ付述ヘヨ

答　私ハ我国ト支那トノ親和関係ニ就テハ従前ヨリ極メテ深イ関心ヲ抱イテ来マシタ我国カ南北何レニ発展スルニシテモ地理的関係カラ観テ日支間ノ和平関係ヲ結フ事ハ其ノ第一前提テアルト常々考ヘテ居リマシタ大亜細亜主義ヲ鼓シタ孫文テサヘ「日本ナクレハ東洋ナシ」ト言ツタ位テ孫文ノ流ヲ汲ムタ支那要人ノ間ニハ現在テモ必ズヤ日本ヲ中心トスル大亜細亜主義ノ血カ流レテ居ル筈テ斯様ナ親日支那要人ヲ如何ニシタラ日支和平ノ為ニ蹶起サセルコトカ出来ルカト云フコトヲ支那事変発生以来深ク考ヘテ来タノテアリマス私ハ支那事変勃発以後我国ト蒋介石トノ直接和平ノ可能性ヲ考ヘ若シ可能ナラハ之ニ努力シヤウト思ツテ昭和十二年十二月比ノ可能性ヲ

見究メル為上海ニ渡リ翌年一月中旬迄滯在シ其ノ間上海金城銀行總裁周作民ト會見シテ蔣介石ノ意向ヲ打診シタトコロ蔣介石ト國交ノアル同氏ノ意見デハ蔣介石トシテハ日本ノ軍部ト民間トハ分離シテ居リ支那事變ハ民間ノ意向ヲ顧慮スルコトナク軍人カ起シタモノデアルト考ヘ又日本政府ヲ相手トシテ和平交渉ヲシテモ日本ノ輿論カ分裂シテ居ルノデ政府カ纏レハ和平交渉モ其ノ内容カ纏ツテ來ルテアラウト[illegible]ヲ日本政府ニ對スル不信ノ氣持ヲ持ツテ居リ然カモ日本側カ[illegible]交渉ニ持出ス條件ハ抽象的デアル蔣介石トシテハ交渉ニ乘リ出セナイ狀態ニアルノデアルカラ蔣介石カ乘リ出シ一般支那輿論カ之ニ應シテ來ル爲ニハ日本ノ持出ス條件ハモツト具体的デナケレハナラヌトシ又當時世評ニ喧シカツタ駐支獨逸大使「トラウトマ

ン」ノ仲介問題ニ付テモ消極的ナ見方テアリマシタ
然ルニ昭和十三年一月十六日近衛首相ノ蔣介石ヲ相手ニセスト
ノ聲明カ發セラレ爾來ハ蔣介石ニ代ル同憂具眼ノ士ヲ擧ムン之
ト日支親善關係ノ調整ヲ作ル方針カ掲ケラレ私モ之迄ノ事變ノ
指導等カラ觀テ夫レカ尤モ正シイ方針テアルト考ヘマシタ蔣介
石ハ日本ノ支那ニ對スル要求ニハ際限カナイトシテ我國ト和
平ヲ避ケ抗戰熱ヲ煽ツテ來タ譯テスカ私トシテハ我國ノ支那大
陸ニ對スル要求ニハ內容的ニモ地理的ニモ自ラ限度カアツテ然
ルヘキモノナ支那トノ親和關係ヲ結フ爲ニハ我國トシテハ是非
共此ノ限度ヲ明確ニスル必要カアルカ其シテ夫レカ可能ナモノ
カ否カヲ考ヘタノテアリマス私ノ考ヘタトコロテハ滿洲國ハ東
亞ニ於ケル防共ノ見地カラモ又其ノ建國精神ノ上カラモ其ノ存
在ヲ支那側ニ納得セシムヘキモノテアリ又北支及內蒙ハ地理的
關係カラ見テ防共地帶トシ該地域ニ於ケル日本ノ特殊地位ヲ認

メシムヘキモノデアリマスカ其ノ地域迄日本ノ所有ト名乗ル必要ハナク又中支ニ於テハ排日ヲ完廢シ日支ノ經濟合作ヲ承認セシメ南支ニ關シテハ中支ト同様トシ南開進ノ爲ノ制海權ニ就テ取極メヲ爲ス程度デ足ルモノデアルト考ヘ實際交渉ノ如何ニヨツテハ此ノ限度ニ於ケル日本側ノ要求ハ支那側ヲシテ之ヲ承認セシメル可能性カ相當アルモノト考ヘテ居リマシタ私ノ此ノ考ヘ方ノ可否ヲ決スルニ就テハ周作民ノ意嚮ニモアツタ様ニ支那側テハ我國ノ軍民離間ヲ考ヘテ居ルノデ先ツ以テ軍部方面ノ人達ニ相談シテ之等ノ人達カ私ト同意見ナラハ其ノ方面ニ乗出サウト考ヘ當時ノ

陸軍省軍務課長　影佐大佐

參謀本部第八課長　唐川大佐

同　課員　臼井中佐

參謀本部支那課員　今井中佐

固定規格B4

參謀本部第二課員　堀場少佐

後ニハ

參謀本部第二部長　土橋少將

海軍省軍務局第一課長　岡大佐

ニ會ツテ相談シタトコロ之等ノ人達ハ私ト同シ方法テ更ニ進ムタ考ヘ方ヲ持ツテ居リマシタカラ私ハ非常ニ心強ク思ヒ軍ト協力シテ身命ヲ賭シテ日支親和關係樹立ノ爲ニ努力シヤウト決心シタノテアリマス私ハ之等軍部ノ人達ト緊密ニ連絡シテ居リマシタカ民間側トシテハ私ノ外ニ支那現地テ當時ノ

同盟上海支局長　松本重治

滿鐵社員　西義顯

滿鐵囑託

盡力早クヨリ汪ト連絡シツツ工作ヲシテ居リマシタ

伊藤芳男

昭和十三年二三月頃影佐大佐松本氏等ノ指趣ノ下ニ西義顕カ國民政府外交部亜洲司第一科長

董道寧

ト會ヒ伊藤芳男ト共ニ同人ヲ密カニ東京ニ連レ来リ陸軍省參謀本部ノ人達ニ引合セマシタ董道寧ハ歸國後漢口ニ乘リ込ミ汪兆銘ニ會ヒ日本軍部ノ意向ヲ傳ヘマシタ董道寧ノ報告ニ接シタ外交部亜洲司長

高宗武

ハ日本側トノ交渉ノ任務ヲ引受ケル決意ヲ為シ參謀本部及陸軍省ト連絡シタ上同年五月亜洲司[illegible]情報科長

周隆庠

ヲ伴ヒ西、伊藤等ノ案内ニヨリ密カニ来朝シ陸軍省及參謀本部ノ首脳者ヲ始メ松岡洋右、若水裕吉其ノ他ノ諸氏ト會ヒ蔣介石ヲ相手トセズトノ近衛聲明カ我國ノ眞意ニ出タモノカ否カ又我國ノ支那ニ對スル要求ハ如何ナル程度ノモノカト云フ様ナ點ニ付日本側ノ意向ヲ打診シタ上歸國シタノデアリマス此ノ時以來所謂汪兆銘運動ハ具體的トナッテ來タノデアリマス其ノ際民間側ノ有志トシテ松本、西園寺、西、伊藤、尾崎、私等ハ麻布區市兵衛町ノ住友別邸ニ高、周兩名ヲ招キ交驩ヲ遂ケマシタ其ノ席ニ出席シタ尾崎ハ此ノ工作ニハ直接ノ關係ハアリマセヌデシタカ西園寺ノ友人トシテ列席シタノデアリマス私ハ其ノ翌日築地ノ高宗武ノ隠家ニ同氏ヲ訪問シ高宗武カ心配シテ居タ我國ノ實現離間ノ誤解ヲ解クニ努メマシタ高宗武歸國後影佐大佐、松本、私等ハ香港ニ於ケル西、伊藤等ヲ通シテ高宗武トノ連絡ヲ續ケ其ノ結果同年十月末ヨリ十一月ニ掛ケ上海デ高宗武等ト具体的折衝ニ入ル運ビニナリマシタノデ

検事局

私ハ十月下旬影佐大佐、今井中佐ト共ニ上海ニ乗リ込ミ上海東体育路（今ノ臨暖路）ノ重光堂ニ於テ三日間ニ亘リ

日本側

影佐大佐

今井中佐

支那側

梅思平

高宗武

周隆庠

ノ間ニ具体的交渉カ行ハレ其ノ結果其ノ後ニ出来タ内約ヨリモモツト概括的テ基本的ナ取極メカ出来双方カ此ノ取極メニ調印シマシタ

此ノ交渉ニ際シ私ハ常ニ会談室ノ次室ニアツテ交渉ヲ妥結ニ導ク様支那側委員ノ説得等ノ側面工作ニ努力シマシタ此ノ会談ヲ

関定規格B4

俗ニ盧光堂會議ト稱シテ居リマス
此ノ會議ノ結果ニ基キ支那側當事者ハ汪兆銘ニ働キ掛ケテ乘出サシ決意ヲサセ又日本側當事者ハ之ヲ日本政府ノ方針トスルコトニ夫々努力スルコトニナリ梅思平ハ直チニ漢口ニ乘込ミ汪兆銘ト會ヒ同氏ノ引出ニ努力シマシタ同年十一月頃ニナルト汪兆銘ノ乘出シカ略々確實トナリマシタノテ日本側テハ陸海外一致シテ近衛首相ニ協力シ汪兆銘ヲ主班トスル新國民政府樹立工作ハ政府ノ方針トシテ本格的ナモノトナリ之ニ關スル政府聲明文等モ用意サレマシタ
汪兆銘ハ同年十二月二十一日頃漢口ヲ脱出シ昆明ヲ經テ佛印ノ「ハノイ」ニ到着シマシタカ私ノ許ニハ參謀本部ニ對スル公報ニ先立チ香港ニ居タ周佛海ヨリ其ノ旨ノ電報カアリマシタカラ私ハ影佐大佐ヲ通シ板垣陸相ニ報告シ同陸相ハ私ヨリノ報告ニ基キ汪兆銘脱出ノ旨ヲ近衛首相ニ傳達致シマシタ近衛首相ハ二

裁判所

十二日更生新支那トノ國交調整ニ關スル根本方針ナル聲明ヲ發シ之ニ呼應シテ同月三十日ニハ汪兆銘ヨリ蔣介石ニ和平ヲ勸告スル通電カ發セラレタノデアリマス

之ヨリ元私ハ影佐大佐ト共ニ漢口脱出後ノ汪兆銘ノ心境ヲ探ル爲飛行機デ廣東ニ飛ヒマシタカ途中臺北デ三十日ノ汪兆銘ノ通電ヲ知リ其ノ必要カナクナリ又近衞内閣總辭職ノ說モアツタノデ廣東行ヲ中止シテ臺北ヨリ東京ニ引返シマシタ

近衞内閣ハ昭和十四年一月四日總辭職シ私ハ遞信參與官ヲ免セラレルニ至リマシタカ何カト不便デアルノデ參謀本部ノ囑託ノ辭令ヲ受ケマシタ

昭和十四年二月高宗武、周隆庠兩名カ再度上京シ更ニ細目ニ亘ツテ交渉ヲスルコトニナリ二月末ヨリ三月上旬ニ掛ケ箱根宮ノ下富士屋ホテル別館ニ於テ日本側私及影佐大佐カ主トナリ高、周兩名ト折衝シテ前年ノ重光堂會談ノ内容ヲ更ニ詳シク討議シ

國定規格B4

大体ノ成案ヲ得タノデアリマス

其ノ後汪兆銘ノ行クヘキ途中日本政府ノ意向ノ傳達打合セ等ノ爲四月十五日私ハ影佐大佐外憲兵四名ト共ニ大牟田ヨリ貨物船一隻ヲ借切リ出發シ二十一日「ハノイ」ニ到着シ二十四日汪兆銘ト會見シテ萬端ノ打合セヲ遂ケタ後同月二十八日私達ハ「ハイホン」ヨリ貨物船テ汪兆銘ハ「ホンゲイ」ヨリ借切リノ佛蘭西船テ夫々佛印ヲ脱出シ途中「バイヤス」灣附近ノ碣石灣テ落合ヒ私達ノ船ニ移乘シテ五月六日上海ニ到着シタノデアリマス

上海到着後[illegible]路ノ海軍ノ測候所ノ官舎ヲ汪兆銘ノ宿舎ニ當テ一方我々ハ影佐大佐ヲ主班トスル梅機關ニ所屬シテ約一ケ月ニ亙リ汪兆銘側トノ間ニ重慶分子及中立分子獲得ノ方策並日本來朝ニ關スル打合セ等ノ下交渉ヲシタ上六月十二三日頃影佐須賀兩大佐、私等ノ案内ニヨリ

汪兆銘

周佛海
梅思平
高宗武
董道寧
周隆庠
陳燿祖

一行カ密カニ來朝シ瀧野川ノ古河男爵別邸ニ落着キ約一ケ月滯
在シ其ノ間平沼首相畑陸相米内海相石渡藏相有田外相近衞公頭
山滿松岡洋右等ト會見シ日本側ノ意向ヲ打診シ滿足シテ歸國致
シマシタ
汪兆銘ハ滬西愚園路ヲ本據トシ數々梅機關ニ關スルモノハ陸海
軍興亞院外務省等ト連絡シツツ其ノ訓令ニ基キ内約交渉ノ準備
ニ着手シ八月一日ヨリ本交渉ニ入リマシタ交渉委員ハ

日本側

影佐少将
須賀大佐
谷萩大佐
關中佐
矢野外務書記官
私

支那側

周佛海
梅思平
林柏生
周隆庠
陶希聖

等テ正式會談十三回下交渉百三十回（但下交渉ハ私ト周佛海ノミノ交渉）ヲ重ネ十二月三十日交渉妥結シ所謂内約カ成立シ双

方ノ委員ノ調印ヲ致シマシタ
昭和十五年一月二十日青島ニ於テ維新臨時兩政府ノ合作ノ爲ノ所謂青島會議カ開カレマシタカ私ハ一月八日頃飛行機テ東京ヲ出發シ青島ニ行キ此ノ會議ニ參加シマシタ青島會議ノ最中高宗武陶希聖兩名カ和平陣營ヨリ脱落シテ香港ニ逃レ同月下旬重慶及香港ノ大公報ニ和平交渉ノ内容ナルモノヲ暴露致シマシタ大公報ニ掲ケラレタモノハ現地交渉ノ當初ニ於テ政府ヨリ交渉ノ方針ヲ指示シタ文章ニ多少ノ尾鰭ヲ附ケテ居ルモノテアリマシテ從ツテ成立シタ内約ト比較スルト其ノ表現ハ兎モ角トシテ大体同シモノテアリマス内容ハ大体同シモノテハアリマスカ内約其ノモノテハナイノテ我々ハ其ノ直後日支兩方面ヨリ大公報ノ記事ヲ虚僞テアルトシテ反駁シテ居リマス其ノ後昭和十五年四月日支ノ正式交渉ノ爲阿部全權大使カ南京ニ派遣サレ私ハ其ノ隨員ニ任命サレ正式ナ交渉委員ニ擧ケラレ七月五日ヨリ開始サ

レタ正式交渉ニ參加シマシタ此ノ交渉ハ八月二十八日迄ノ間正式會議十五回非公式會議數十回開カレ八月三十一日ノ第十五回目ノ正式會議ニ於テ條約案並條約附屬書案ノ成立ヲ見「イニシヤル」ヲ終タノデアリマス私ハ會議ニハ前後三回出席シタノミテ病氣ノ爲靜養シ八月下旬歸京致シマシタ

日本側交渉委員ハ條約案成立後内地ニ於ケル最後的打合セノ爲上京シマシタ當時現地ヨリ上京シテ來テ居タ交渉委員及補佐員ハ

影佐少將

須賀少將

日高參事官

松本參事官

谷萩大佐

扇中佐

検事局

矢野書記官
杉原書記官
川本大佐

學テ時恰モ蔣介石直接和平交渉問題カアリ事態カ紛糾シテ來タノテ一行ハ山王ホテルニ一室ヲ借切リ此處ヲ足溜リトシテ條約案ノ審議ト蔣介石直接和平問題ニ付協議ヲ重ネテ居リマシタ直接和平交渉問題ト云フノハ當時我國ノ有力者ノ一部ニ香港ニ於ケル周作民、錢永銘等ヲ通シテ蔣介石ト直接全面和平ヲシヤウトスル議カアリ現ニ此ノ工作カ行ハレテ居リ政府トシテモ此ノ工作カアル爲遂ニ汪兆銘ヲ主班トスル新國民政府ノ承認ヲ爲シ難イ状況ニ置カレテ居タノテアリマス

我々ハ此ノ間ニアッテ支那トノ全面和平ニハ大イニ贊成スルケレトモ汪兆銘ニ對スルヨリモヨリ以上寛大ナ條件ヲ持ッテ蔣介石ト和平ヲ結ハントスル遣方ハ身命ヲ賭シテ是迄和平ニ努力シ

テ來タ汪兆銘等親日家ノ立場ヲ全ク無視シタモノテ若シ蔣介石トノ全面的和平ヲ結ハントスルナラハ先ツ汪兆銘トノ間ニ蔣介石トノ全面的和平ニ於ル條件ト同一ノ條件ヲ持ツテ和平條約ヲ結ヒ然ル後汪兆銘ヲシテ全面和平ノ仲介ヲ採ラシムヘキテアルトシテ德力日支和平カ正シイ方向ニ於テ取極メラルル様努力シタノテアリマス

重慶トノ直接和平問題モ間モナク見込ミノナイ等カ判明シ現地交渉ノ結果成立シタ條約關係ノ條文モ一部修正サレタ丈テ内地側ノ承認ヲ得ルコトトナリ十一月三十日日華兩國間ニ調印トナリ日華基本條約ノ成立ヲ見タノテアリマス日華基本條約ハ樞密院ノ審査ヲ經テ御批准トナリ十二月二日條約ノ成文附屬議定書及諒解事項ノ公布ノ運ヒニナツタノテアリマス

三問

被疑者カ昭和十五年一月頃西園寺公一ニ内約ニ關スル文書ヲ示シタ顛末ヲ述ヘヨ

答

私ハ昭和十四年十二月三十一日飛行機デ歸京シ翌年一月八日青島會議出席ノ爲出發スル迄ノ間約一週間ヲ東京デ過シマシタ其ノ間ニ於テ內約ノ內容ヲ一先ツ纒メタ文書ヲ西園寺ニ見セテ居リマス正式ノ內約文書ハ極メテ尨大ナモノデ私カ上海出發ノ前日ノ夕方調印トナッタノデアリマスカラ內約ノ全文ヲ持チ歸ッテハ居リマセヌデシタ

西園寺ニ示シタ文書ハ內約ノ全貌ヲ現ハシテ居ルモノデ出發ノ二三日前交渉妥結ノ見通シノ附イタ頃內約ノ基本的部分ヲ拔萃シタイプデ叩イタ三十枚位ノ文書ヲ梅機關デ作成シマシタノデ之ヲ持チ歸リ歸京ノ直後頃西園寺カ訪ネテ來タ際私方應接間ノ次ノ食堂デ同人ニ見セタノデアリマス西園寺ハ汪兆銘工作ニハ高宗武來朝以來直接關係シテ居タ人デスカラ內約ノ內容ヲ知ッテ貰フ爲ニ見セタノデアリマス西園寺ニ此ノ文書ヲ見セタ時多分他ニ來客カアッテ私ハ應接間デ其ノ客ト會ッタト思ヒマスカ

其ノ間ニ西園寺ハ食堂テ此ノ文書ヲ翻キ譯シタト思ヒマス然シ文書ノ内容ハ相當尨大ナモノテアリマスカラ西園寺ハ全部ヲ翻キ譯サス重要部分ノミヲ抜書シタノテハナイカト想像シテ居リマス

三問

被疑者カ同年九月頃西園寺公一並尾崎秀實ニ日華條約關係ノ案文ヲ示シタ顚末ニ付述ヘヨ

答

私ハ同年八月下旬ヨリ東京ニ來テ居タコトハ既ニ申述ヘタ通リテアリマシテ九月ニナツテカラ現地カラ影佐少將等交渉委員補佐委員等カ上京シ山王ホテルニ足溜リヲ作ツテ居タ事モ先ニ述ヘタ通リテアリマス

私ハ其ノ山王ホテルテ交渉委員ノ誰カカラ基本條約案ノ全文附屬諒定書案ノ全文秘密協定案ノ全文交換公文案ノ全文及諒解事項ノ全文ヲタイプニ叩イタ約三十枚位ノ文書ノ交付ヲ受ケマシタ此ノ文書ヲ西園寺カ私方ニ來タ時應接間テ見セタ上案文ノ

裁判所

成立ニ至ツタ經過ヲ說明スルト共ニ其ノ頃世間テ問題ニシテ居タ私平交渉ニ絡ル誤解ノ根據ノナイ所以ヲ說明シタノテアリマス尾崎ニ對シテモ同シ頃同人カ私方ヲ訪問シタ際應接間テ此ノ文書ヲ見セ交渉ノ結果ソノ良悪ハ第三者ノ批評ヲ待ツトシテ日本側モ汪兆銘側モ讓歩ノアラン限リヲ盡シテ最近持ツテ來タト云ツテ說明シタノテアリマス尾崎カ來タ時ハ私カ出掛ケ際ノ時テ尾崎カ充分其ノ文書ヲ讀ム暇カアリマセメテシタノテ同人ハ一寸貸シテ呉レト云ヒ之ヲ貸シタ事ヲ記憶シテ居リマス此ノ文書ハ其ノ頃私ニ採ツテ仕事上極メテ必要テシタカラ短時間貸セル約束テ渡シ其ノ日ノ内ニ尾崎ヨリ返還サレタト記憶シテ居リマス

四問 西園寺尾崎等ニ見セタ條約案其ノ他ノ文書ニハ支那文モ入レテアツタノカ

答 支那文ハ入レテアリマセメ日本文ノミノモノテアリマス內約關

係ノ文書モ同様テアリマシタ

五問　條約案ノ出來タ當時ニハ他ニモ多數ノ文書カ作ラレテ居タノテハナイカ

答　左樣テアリマス然シ夫等ノ文書ハ條約ノ体裁ハ採ツテ居リマスカ現地交渉前及現地交渉ノ過程ニ於テ出來タ試案或ハ寧本條約案其ノ他ノ條約關係文書案ノ披瀝乃至解說書樣ノモノテアリマシテ西園寺ヤ尾崎ニハ斯樣ナ文書ハ見セル必要ノナイモノテアリマシタカラ兩名ニハ此ノ種ノ文書ハ見セテ居ナイト記憶シテ居リマス西園寺尾崎兩名ニ對シテハ兩人等ノ知識及汪兆銘工作ニ對スル關係カラ云ツテモ此ノ種ノ文書ヲ見セル筈カナク條約關係文書ノ成案ヲ見セルノカ妥當テモアツタノテアリマシテ先ニ述ヘタ通リ條約關係ノ成案其ノモノヲ見セタト思ツテ居リマス

(5) 三問訊問調書（四月二十一日）

犬養健

一問　被疑者カ西園寺公一ニ示シタ内約ナルモノニ關スル文書ノ内容ハ如何

答　内約其ノモノハ非常ニ厖大ナモノデスカ西園寺ニ示シタ文書ハ此ノ内約ノ中ノ基本的部分ヲ摘錄シタモノデアツタト思ヒマス

其ノ文書ノ要點ヲ申シ上ケマスレハ

北支及蒙疆ニ關シテハ

(一)該地區カ防共ノ必要上カラ防共協定期間中特定地點ニ日本國軍隊ヲ駐屯セシメルコト

(二)國防上ノ必要資源ノ開發利用ニ付キ日本國ニ特別ノ便宜ヲ供與スルコト

(三)右二項ノ目的ヲ達セシムル爲交通通信航空等ニ關シ日本國ニ特別ノ便宜ヲ供與スルコト

検事局

(四)北支ヲ特別地域トシ華北政務委員會ヲ設置スルコト
(五)蒙疆ヲ高度ノ自治區域トスルコト
(六)差シ當リ北支ニ流通スル聯合準備銀行券ヲ正式唯一ノ通貨トシ之カ根本的解決ハ將來ノ問題トスルコト

中支ニ關シテハ
(一)揚子江ノ三角地帶ニ於テ日華ハ經濟上ノ緊密ナル合作ヲ為スコト
(二)上海ニ於テハ經濟文化會議等ニ付キ日本側ニ緊密ニ連絡ヲ為スコト

南支ニ關シテハ
(一)中支ト略同様日華ハ經濟上緊密ナル合作ヲ為スコト
(二)海南島ノ國防資源ノ開發利用ニ付キ日本國ニ特別ノ便宜ヲ供與スルコト

日本國艦船ハ支那ノ沿海河川ニ自由ニ航泊シ得ルト共ニ揚子江

沿岸特定地點（並華南沿岸特定島嶼及其ノ附近（卽チ華南島及厦門ト厦門ノ對岸ヲ意味ス）ニ日本艦船部隊ヲ駐留セシムルコト
治安維持ヲ必要トスル期間中日本國軍隊ハ特定地點ニ駐屯スルモ治安確立ト共ニ二年以内ニ之カ撤退ヲ完了スルコト
等デアリマス

二問　然ラハ被疑者カ西園寺公ニ示シタ内約ノ基本部分ヲ摘錄シタ文書ニハ軍事ニ關スルモノヲ含ンデ居タ譯カ

答　左樣デアリマス其ノ表現ハ抽象的デスカ

(一)北支及蒙疆ノ特定地點ニ防共ノ爲日本軍隊ヲ駐屯セシムルコト

(二)治安維持ノ爲日本軍隊ヲ駐屯セシムルモ治安カ回復シタコトヲ日華双方ニ於テ認メテカラ二年以内ニ之等軍隊ヲ撤退スルコト

(三)日本艦船ハ支那ノ港灣河川ニ自由ニ出入碇泊シ得ルト共ニ寄

裁判所

ニ海南島及廈門等ニ於テハ日本艦船部隊ヲ駐留セシムルコト
(四)日本軍隊ノ駐屯及艦船部隊ノ駐留ニ關シ支那ハ之ニ協力スル
コト
等ノ事項カ掲ケラレテ居リマシタ

三　問　被疑者カ西園寺公一及尾崎秀實ニ示シタ日華條約關係文書案ヲ
記載シタ書面ノ内容ハ如何

答　御訊ネノ文書ハ前問申述ヘタ通リ
(一)基本條約案ノ全文
(二)附屬議定書案ノ全文
(三)附屬秘密協定案ノ全文
(四)附屬秘密交換公文案ノ全文
等ヲ記載シタモノテアツタト記憶シマス阿部全權大使赴任後汪
主席トノ間ニ交渉ヲ重ネテ成立ヲ見タ之等條約關係ノ文書案ハ
先ニ取リ決メラレタ内約ノ中ノ必要部分ヲ取リ上ケテ條約化シ

検事局

図定規格B4

ダモノデ其ノ表現形式ハ別トシテ實質的ナ內容ハ內約ト殆ント同様デアリマス內約トノ相違點ハ或ル事項ヲ公表文ニ入レルカ又ハ不公表ノ方ニ入レルカト云フ位ナ條約締結上ノ技術ニ係ルモノデアリマスカ只一點新タニ文書ノ形式テ念ヲ押シタモノトシテハ附屬交換公文中ニ

現在ハ戰爭行爲進行中ナルヲ以テ戰爭行爲ニ必要ナル措置ハ總テ條約ヲ超越スル

旨ノ規定カ取リ入レラレタ事テアリマス

其ノ他ハ全部內約ト實質的ニハ同シテアリマス

右申述ヘタ條文中日華條約、附屬議定書案ノ二者ハ何レモ十二月二日公布セラレテ居リマス附屬秘密協定案及附屬秘密交換公文案ハ最初ヨリ不公表ノモノトシテ作成シタ秘密ノ取リ決メテ現在ニ於テモ公表サレテ居リマセヌ

四問

之等條約關係文書案ニハ軍事ニ關スルモノヲ含ンデ居タノカ

答

左様デアリマス

條約第三條第三項ニハ

日本國ハ兩國共同シテ防共ヲ實行スル爲所要期間中兩國間ニ別ニ協議決定セラルル所ニ從ヒ所要ノ軍隊ヲ蒙疆及華北ノ一定地域ニ駐屯セシムヘシ

トアリマス之ハ防共駐屯ニ關スル規定デ所要期間中トハ防共協定期間中ノ事デアッテ該協定ノ性質上其ノ期間ハ結局永久ト云フ事ニナリマス「所要ノ軍隊」及「一定地域」ハ日本軍責任者ト汪兆銘トノ間ノ直接交渉ニ於テ取リ決メラレテ居ルノデアリマシテ私ハ之ニハ全ク關係セス從ッテ其ノ取リ決メノ内容モ存シマセヌ

同條約第四條第二項ニハ

共通ノ治安維持ヲ必要トスル間ニ於ケル日本國軍隊ノ駐屯地域其ノ他ニ關シテハ兩國間ニ別ニ協議決定セラルル所ニ據ル

検事局

同定規格B4

トアリマス之ハ治安維持ニ關スル規定デ之ニヨリ日本軍占領下ニ在ル現狀ヲ條約ノ形式ニヨリ效力ヲ持タシメタモノデ「駐屯地域其ノ他一ニ關スル別ノ取決メハ日本軍責任者ト汪兆銘トノ直接交渉ヲ意味シテ居リマス

問　案第五條ニハ

中華民國政府ハ日本國カ從前ノ慣例ニ基キ又ハ兩國共通ノ利益ヲ擁護スル爲所要期間内ニ別ニ協議決定セラルル所ニ從ヒ其ノ艦船部隊ヲ中華民國領域内ニ於ケル特定地點ニ駐留セシメ得ルコトヲ承認スヘシ

ト規定サレテ居リマス之ハ艦船部隊ノ駐留ニ關スル規定テアリマス此ノ事項ニ關シテハ別ニ秘密協定中ニ規定カ設ケラレテ居リマス我國ハ古クヨリ支那沿岸及河川ニ艦船ノ出入碇泊ノ權利ヲ得テ來マシタカ之ハ諸外國ト共同シテ得テ居タモノデ將來其ノ他ノ諸國ノ既得權カ排除セラレタ場合ニハ法文上

其ノ根據ヲ失フカ或ハ少ナクモ紛糾ヲ來タス虞レカアルノミデナク新タニ海南島、廈門等ニ於ケル駐留權ヲ認メシメル必要モアツタノデ海軍側ノ要求ニヨリ當初支那側ノ好マヌトコロデシタカ條約ノ附文ニ此ノ權限ノ規定ヲ設ケ條約附文ト秘密協定トノ間ニ結ビ付キヲ設ケタノデアリマス

附屬議定書第一條ニハ

中華民國政府ハ日本國カ中華民國領域内ニ於テ現ニ遂行シツツアル戰爭行爲ヲ繼續スル期間中右戰爭行爲遂行ニ伴フ特殊事態ノ存在スルコト及日本國カ右戰爭行爲ノ目的達成上必要ナル措置ヲ執ルコトヲ諒解シ之ニ應シ必要ナル措置ヲ講スルモノトス

前項ノ特殊事態ハ戰爭行爲繼續中ト雖モ戰爭行爲ノ目的達成上支障ナキ限リ情勢ノ推移ニ應シ條約及附屬文書ノ趣旨ニ準據シテ調整セラルヘキモノトス

トアリマス之ハ戰爭行爲ニ伴フ特殊事態及戰爭目的達成ニ必要ナル措置ヲ支那側ニ於テ承認シタ規定デアリマス

間協定附屬第三條ニハ

兩國間ノ全般的平和克復シ戰爭狀態終了シタルトキハ日本國軍隊ハ本日署名セラレタル日本國中華民國間基本關係ニ關スル條約及兩國間ノ現行約定ニ基キ駐屯スルモノヲ除キ撤去ヲ開始シ治安確立ト共ニ二年以內ニ之ヲ完了スヘク中華民國政府ハ本期間ニ於テ治安確立ヲ保障スルモノトス

トアリマス治安確立後卽チ全面和平成立後二年以內ニ防共ノ爲ノ駐屯軍隊及艦船部隊ヲ除ク日本軍隊ヲ撤退スルコトヲ規定シタモノデ治安確立トハ全般的排日行動ノ終熄ヲ意味シ而モ之カ認定ハ日支双方ノ意見ノ一致シタ場合デアラネハナラヌノデアリマスカラ實質的ニハ何時カラ二年以內ニナルノカ何人モ斷定シ得ナイトコロデアリマス

附屬秘密協定案中ニハ

(一)防共及治安維持ノ為駐屯スル日本國軍隊ニ對シ支那側ハ便宜ヲ供與スヘキコト

(二)日本ハ揚子江沿岸特定地點及華南特定島嶼及之ニ關聯スル地點(即チ海南島及厦門並厦門ノ對岸大陸ヲ意味ス)ニ必要ナル艦船部隊ヲ駐留セシメ得ルト共ニ支那側域内ノ河川港灣ニ我國艦船ヲ自由ニ出入碇泊シ得ルコト

(三)支那海ノ交通路ノ維持安全確保ノ為華南特定島嶼及之ニ關聯スル地點(即チ海南島及厦門並厦門ノ對岸大陸ヲ意味ス)ニ於テ支那側ハ日本ニ對シ軍事上ノ協力ヲ為スヘキコト

(四)海南島厦門及其ノ附近ノ島嶼ニ於テ國防上並經濟上ノ資源開發ニ關スル權益ヲ日本ニ對シ承認スルコト

等ノ規定カアリマス

交換公文案(甲)中ニハ

(一)上海ニ於テハ日本軍隊ノ駐屯ニ伴フ事項ヲ地方的ニ處理スルコト

(二)海南島及厦門ニ於テハ特別政治機構ヲ設ケ同地域ニ於ケル軍事的協力及經濟提携等ノ事項ヲ地方的ニ處理スルコト

(三)中華民國政府ニ於テハ日本人技術顧問及軍事顧問ヲ招聘スルコト

又交換公文案(乙)ニハ

條約協定等ニ取決メカナクトモ支那事變遂行中ハ日本カ戰爭行爲ノ目的完遂ニ必要ナ事項ハ支那側ニ於テ協力スルコト

等ノ規定カ爲サレテ居リマス以上申述ヘタモノノ中秘密協定案ハ其ノ後ノ修正ニヨリ秘密協定及秘密協約ノ二ツニ分レ駐軍關係ノモノヲ協定ニ撤軍關係ノモノヲ協約ニ納メテ居リマスカ內容的ニハ八月末出來上ツタ協定案ト全ク同一デアリマス

五問 內約、秘密協定案、秘密交換公文案ノ外勿論基本條約案及附屬議

答

定書案ト雖モ公表迄ノ間ハ嚴秘ヲ保ツヘキ性質ノモノテハナイカ
勿論左様テアリマス併シ内約ヤ條約ニ盛ラレタ事項ハ既得ノ權益及支那事變遂行過程ニ於テ我國ハ現實ニ獲得シタ權益ニ關スルモノテ國民一般カ既ニ獲得シタモノト信シテ居ル事柄テアリマス秘密協定等ニ規定サレタ事項ノ大部分ハ從來ヨリ行ハレテ居ル事項ニ關スルモノツ本來ハ公表サレタ條約ノ成文ニ揭ケルヲ穩當トスルモノテアリマスカ之ヲ成文ニ揭ケテハ汪兆銘ノ出子カナクナリ支那民衆ヲ引キ付ケ難クナルノテ支那側ノ立場ヲ考慮シテ特ニ秘密事項トシタノテアリマス現地交渉ニ於テ斯様ナ取扱ヒヲシタ爲却ツテ世間ニ疑惑ヲ生シ現地交渉テハ中支ニ於ケル駐屯部隊ノ撤退ノ承認及既得ノ艦船部隊ノ駐留權ノ讓步等讓致シタノテハナイカト憶測シタ位テ吾々交渉委員トシテハ條約ノ成文ニ規定シナカツタノハ讓步シタ爲テハナク支那側ノ立場ヲ考ヘテ條約ノ成文ニハ出サス裏ニ之ニ關スル取決メヲ

行ツテ居ルカラ内地デ心配スル様ナモノデハナイト説明シ誤解ヲ一掃シナケレハナラヌ状態ニサヘアツタノデアリマス

六問

内約及條約關係書案ナルモノニハ軍事ニ關スルモノヲ含ンテ居リ被疑者カ西園寺、尾崎ニ之等關係文書ヲ示シタ當時ニ於テハ軍ニ於テハ之ヲ秘密トシテ居タノデハナイカ

答

勿論左様デアリマシタ之等ノ文書ニ於ケル軍事關係事項ノ取決メハ極メテ抽象的デアリマスカ之ニ關スル具体的且ツ詳細ナ取決メハ軍ノ責任者ト汪兆銘トノ直接交渉ニ於テ爲サレテ居ルノデアリマス

但シ軍事ニ關スル取決メヲ含ンテハ居リマスカ其ノ當時ニ於テハ日本軍隊ノ駐屯及日本艦船部隊ノ駐留ハ現ニ行ハレ世間テハ之等權益ヲ當然確保シテ居ルモノト考ヘテ居リ又國防上經濟上ノ資源開發ニ付テモ現ニ國策會社カ出來活潑ニ行ツテ居タ際テ吾々ハ專ロ之等會社關係者ヨリ權益確保ニ付キ念ヲ

七問

答

押サレテ居タ位デアリマシタ

尾崎秀實ハ所謂汪兆銘工作ニ關係ヲ持ツテ居タノカ

私カ尾崎ト最初會ツタノハ上海及南京ニ於ケル孫文慰靈祭ノ時デ其ノ頃同人ハ朝日新聞ノ上海特派員テ私ノ父ニ旅行ニ付テノ記事ヲ取リニ來タ事カラ知合トナリ名所案内等モシテ貰ヒマシタ其ノ後雜誌等ニ出ル同人ノ論文ヲ讀ンテ支那問題ニ詳シイ人テアル事ヲ知リマシタカ昭和十二年六月遞信參與官トナリ支那問題ノ關係テ内閣ニ出入スル中昭和十三年七月頃尾崎カ内閣囑託トナリ總理官邸ニ一室ヲ與ヘラレテ支那問題ニ獻策スル樣ニナツテカラ私モ支那問題ニ付キ同人ヨリ種々說明ヲ受ケル樣ニナリマシタ私ハ同人ノ思想、人格、識見ヲ信用シテ居タノテアリマス

尾崎ハ汪兆銘工作ニハ直接ニハ關係シマセヌテシタカ内閣囑託テアツタ關係上工作ノ内容ハ良ク知ツテ居リ吾々ニ對シテ

ハ種々議論ニナル意見ヲ述ヘテ居リマシタ尾崎ハ汪兆銘工作ニハ最初ノ間ハ支那民衆ノ抗日意識ノ根強イ事ヲ指摘シテ賛否ヲ明カニシマセヌデシタカ後ニハ認識カ改ツタ模様デ賛成的ナ論文等モ書ク様ニナリ同人ノ書イタ論文ハ支那問年等モ注目シテ読ンデ居タモノデアリマス尾崎ハ吾々ノ汪兆銘工作ニハ親シイ同情者的立場ニアツタ人ト云フ事カ出来支那問題ニ通ジテ居ル人達ノ間デハ一般ニ左様ニ考ヘラレテ居リマシタ左様ナ関係デ高宗武カ最初来朝シタ際住友別邸ニ於ケル高宗武等トノ会合ノ席ニ西園寺カ尾崎ヲ列席セシメタノデアリマス

八問　被疑者ト西園寺トノ関係並ニ西園寺ノ汪兆銘工作ニ於ケル関係ハ如何

答　私ハ昭和五年頃父ノ代理デ公望公ノ許ニ行ツタ時公爵ヨリ係公一トノ交際ヲ勧メラレ爾来公私ニ亘ツテ公一ト極メテ親シ

イ交際ヲ續ケテ今日ニ至ツテ居リマス
西園寺公一ハ支那問題ニ付テハ最初ノ關係者ノ一人デ特ニ汪兆銘カ秘密ニ來朝シタ時ニハ宿居ノ斡旋ヲシテ居リマス
故公爵存命中ノ事テモアツタノテ西園寺公一カ上海ニ旅行シタ時等ニハ汪兆銘ハ必ス特ニ同人ヲ招待シ敬意ヲ拂ヒ又支那側ノ要人連中モ内約ヤ條約ニ關シテ色々事情ヲ訴ヘタリ意見ノ交換ヲシタリシテ居リマシタ同人ハ汪兆銘工作ニ關シテハ直接ノ衝ニハ當リマセヌデシタカ右ニ述ヘタ様ナ關係デ關係者ノ一人ニ數フヘキ人デアリマシタ

九　問　被疑者ハ何故西園寺公一、尾崎秀實等ニ内約及條約關係文書類ヲ示シタノカ

答　今日尾崎カ左翼ノ人間デアル事ヲ知ツテ非常ニ恐縮シテ居ルノデスカ其ノ當時デハ西園寺ハ勿論尾崎モ吾々ノ有力ナ味方ダト考ヘマシタノデ之等ノ文書ヲ見セタノデアリマシテ殊ニ

検事局

國定規格B4

西園寺ハ最初カラノ關係者ノ一人デアリ絶論ト雖モ最初カラ内容ヲ知ッテ居ル有力ナ關係者ノ一人ト理解シテ居マシタカラ何等警戒スルトコロナク見セタノデアリマス

當時ノ輿論ヲ申シマスト一般ノ状況トシテハ高宗武暴露以來作ラルヘキ條約ニ關シ論議シテ居タ人々ニハ現地交渉ノ内容ヲ知ッテ居ル人カ多ク而モ之等ノ人達ノ間ニハ樣々ナ流言ニ飛バサレテ居ル向モ少ナクナカッタノデアリマス從ッテ現實ニ交渉シテ居ル吾々トシテハ此ノ種ノ誤解ヲ解ク必要カアッタノデアリマス其ノ頃吾々ノ心配シタ點ハ二ツアリマシタ其ノ第一ハ汪兆銘トノ間ニ結ンダ條約ノ效果ニヨッテ重慶側ヲ切リ崩サントスレハ條項ノ或ル部分ヲ形式的ニセヨ秘密ニシナケレハナラナイノデアリマスカ維備支那側ノ立場ヲ考慮シテ秘密ノ條項ニ入レルモノハ總テ我國カ現在留保シテ居ル事柄デ國民ニモ知レ亘ッテ居リ之ヲ公表文ニ掲ケナケレハ忽チ

國民ヨリ仇敵視ニ收メタ職業ヲ放棄スルノカト詰問サレル際ノアルモノ許リデ現ニ左樣ナ非難モ吾々ニ對シテ加ヘラレマシタ吾々トシテハ我國ノ是非トモ確保シナケレバナラヌ權益ハ條約ニ於テ認メテ確保シテアルカ其ノ方法ハ支那人ノ感情ニ最モ良ク當テハマル形式ト表現トニ於テ爲ス事ニ努メタノデアリマスカ此ノ事ヲ或ル程度說明シテ國民ノ誤解ヲ解ク現實ノ必要ニ迫ラレテ苦慮シテ居タ譯デアリマス其ノ二ハ內約ノ時代カラ汪兆銘ノ樣ナ力ノ弱イ者ト條約ヲ結ンデモ無駄デアルトノ考方カ存在シタ事デアリマス此ノ考方ニ對シ私達ハ二三年來ノ經驗ト見透シカラ蔣介石ハ一應ハ全面和平ニ乘リ出ス如キ氣配ヲ見セテモ決シテ本當ニ乘リ出スノデハナク而モ常ニ民衆ニ對シテハ我國ヲ不倶ノ國トシテ宣傳シテ居ルノデ我國トシテハ之ニ對シテ日本ハ信用スルニ足ル國デアルトノ實例ヲ大陸ニ於テ示ス必要カアルト考ヘタノデアリマス其ノ

國定規格B4

為ニハ支那側ニ適當ナ相手ヲ求メナケレハナラナイノテアリマスカ汪兆銘ノ様ナ支那有數ノ人経家カ生命ヲ賭シテ和平ノ為ニ乗リ出シテ来タノテアルカラ之ト條約ヲ結ヒ蔣介石ノ宣傳ニ反スル謀略ヲ現出セシメテ支那民衆ヲ和平陣營ニ引込ムヘキテアルト考ヘ汪兆銘ヲ無力トスル人々ヲ説得シテ黙ラサル所以ヲ徹底セシメル必要カ現實ニアツタノテアリマス

斯様ナ情勢ニアツタノテ最初カラノ關係者或ハ最モ親シイ間柄者ニハ交渉ノ内容ヲ示シテ十分ノ理解ヲ持ツテ貰ヒ度イト思ヒ左様ナ氣持モアツテ文書ヲ示シテ居ルノテアリマス西園寺、尾崎両名ハ既ニ述ヘタ様ナ關係カラ現地交渉ノ圓満ノ範圍ヲ知ツテ居リ十分基礎的知識ヲ有シテ居タ許リテナク世上ニ行ハレテ居タ流言等ニ付テモ常ニ好意的ナ注意ヲ與ヘテ呉レテ居リマシタ又雑誌「東亜解放」「改造」「中央公論」等ニモ論文ヲ執筆シテ汪兆銘工作カ日本ノ執ルヘキ唯一ノ道テ

裁判所

アル事ヲ強調シテモ居リマシタ様ニ尾崎ノ意見ハ支那問題ノ專門家丈ケニ傾聽ニ値スルモノガ多ク例ヘバ蔣介石ノ國共合作ニヨル抗日戰線ハ一見強イ様ニ見ヘテ決シテ分裂シナイモノデアル事又支那事變ハ我國ト英米トノ對立關係カ其ノ大キナル要素ヲ爲シテ居ル事等ヨリシテ蔣介石ハ蘆溝和平ニ乘リ出ス事ハアリ得ナイト云フ同人ノ意見觀測等ハ大イニ參考トナリマシタ吾々トシテハ尾崎ニ對シテハ積極的建設的意見ハ別トシテ其ノ否定的消極的意見ニハ注意トシテ期待スルモノカアツタノデアリマス又尾崎ハ第一次近衞內閣ノ囑託デモアリ朝飯會ノメンバーデ信用スルニ足ル人ト考ヘラレ非常ニ物知リデ私ヨリ新シイ事實ヲ話シテモ常ニ既ニ知ツテ居ルラシイ態度デ受ケ答ヘヲシ未ダ嘗テ耳新ラシイ事ヲ聞イタト云フ様ナ様子ヲ示シタ事カアリマセヌテシタ左様ナ關係カラ相手ヲ信用シ又何等警戒スル氣持モナク秘密ニ關スル事ヲ漏

ラシタ次第デアリマス

十問　今度ノ事件ニ付テノ感想ハ

答　私ハ尾崎ノ本件ヲ知ツタ今日ニ於テハ實ニ國家ニ對シ一國民トシテ何トモ相濟マナイ心持テ恐縮シ慙愧シ謹慎シテ居リマス謹ンテ法ノ裁キヲ仰キ自身ノ汚レヲ潔キ餘生ハ修養ニヨツテセメテ幾ラカナリトモ國家ニ報ヒ度ク再生ノ爲ノ修錬ニ務メ度イト存シマス

裁判所